Chère
Arlette

Du même auteur

Aussi vrai qu'il y a du soleil derrière les nuages, essai biographique, Libre Expression, 1982.

Les Filles de Caleb, roman

  tome 1 : *Le chant du coq,* Québec/Amérique, 1985 ; édition revue et corrigée, illustrations de Gilles Archambault, Libre Expression, 1995 ; nouvelle édition, Libre Expression, 2003, 2010 ; collection « 10 sur 10 », 2015.

  tome 2 : *Le cri de l'oie blanche,* Québec/Amérique, 1986 ; édition revue et corrigée, illustrations de Gilles Archambault, Libre Expression, 1997 ; nouvelle édition, Libre Expression, 2003, 2010 ; collection « 10 sur 10 », 2015.

  tome 3 : *L'abandon de la mésange,* Libre Expression, 2003, 2010 ; collection « 10 sur 10 », 2015.

Ces enfants d'ailleurs, roman

  tome 1 : *Même les oiseaux se sont tus,* Libre Expression, 1992 ; collection « Zénith », Libre Expression, 2003.

  tome 2 : *L'envol des tourterelles,* Libre Expression, 1994 ; collection « Zénith », Libre Expression, 2003.

J'aurais voulu vous dire William, roman, Libre Expression, 1998.

Tout là-bas, roman, Libre Expression, 2003.

Depuis la fenêtre de mes cinq ans, Libre Expression, 2008.

Petals' Pub, roman, Libre Expression, 2012.

ARLETTE
COUSTURE

Chère
Arlette

ÉMILIE BORDELEAU OVILA PRONOVOST BLANCHE
PRONOVOST HENRI DOUVILLE NAPOLÉON FRICOT
CHARLOTTE BAUMIER MARIE-LOUISE LAROUCHE
ÉLISE LAUZÉ CÔME VANDERSMISSEN EUGÉNIE

Libre Expression

Une société de Québecor Média

Catalogage avant publication de Bibliothèque et Archives nationales du
Québec et Bibliothèque et Archives Canada

Cousture, Arlette
   Chère Arlette

   ISBN 978-2-7648-1189-4
   I. Titre.

PS8555.O829C43 2016 C843'.54   C2016-940953-8
PS9555.O829C43 2016

Édition : Johanne Guay
Direction littéraire : Pascale Jeanpierre
Révision et correction : Marie Pigeon Labrecque et Sophie Sainte-Marie
Couverture et mise en pages : Chantal Boyer
Photo de l'auteur : Michel Paquet

Cet ouvrage est une œuvre de fiction ; toute ressemblance avec des personnes ou des
faits réels n'est que pure coïncidence.

Remerciements
Nous remercions le Conseil des Arts du Canada et la Société de développement des
entreprises culturelles du Québec (SODEC) du soutien accordé à notre programme
de publication.
Gouvernement du Québec – Programme de crédit d'impôt pour l'édition de livres –
gestion SODEC.

Les Éditions Libre Expression
Groupe Librex inc.
Une société de Québecor Média
La Tourelle
1055, boul. René-Lévesque Est
Bureau 300
Montréal (Québec) H2L 4S5
Tél. : 514 849-5259
Téléc. : 514 849-1388
www.edlibreexpression.com

Dépôt légal – Bibliothèque et Archives nationales du Québec et Bibliothèque et Archives
Canada, 2016

ISBN : 978-2-7648-1189-4

Distribution au Canada
Messageries ADP inc.
2315, rue de la Province
Longueuil (Québec) J4G 1G4
Tél. : 450 640-1234
Sans frais : 1 800 771-3022
www.messageries-adp.com

Pour André Bastien,
première personne à avoir cru en mes mots,
à m'avoir repêchée, première personne
à devenir mon ombre bienfaitrice,
œil derrière et devant toutes mes pages.
Pour tout cela, André, un merci en bold 24 points,
et un merci encore plus grand de m'avoir incluse
dans le giron de ton indéfectible amitié.

À la mémoire de Catherine Levert-Bastien,
ta fille, que tu as menée avec tendresse
aux portes de la fierté, du plaisir et de la joie de vivre.
Elle a affiché pendant des années
ce sourire qui nous accueillait
en arrivant aux Éditions
et nous manifestait sa complicité.
Elle nous manquera certes à tous.

À la mémoire de Réginald Martel
qui s'est éclipsé la tête bourrée de culture,
de mots et d'histoires. Contre toute attente,
nous avons découvert que son père, médecin,
avait été le patron de ma mère,
infirmière, en Abitibi.
Nous avons tout juste eu le temps de nous revoir
pour nous régaler de cette amitié quasiment secrète.

AVANT-PROPOS

Trente ans. Incroyable. Il y a plus de trente ans, je travaillais à un livre qui s'est révélé exutoire, loisir et paratonnerre contre les aléas de la vie.

Les fins de semaine, les soirs où je n'avais pas de cours, les vacances... tout le temps. Loisir à plein temps envers et contre tout, malgré la défaillance de ce corps qui m'avait pourtant si bien servi.

J'ai terminé *Les Filles de Caleb* en portant un cache-œil, l'ordinateur de 1984 m'étant contre-indiqué. Tant pis, je voulais terminer.

Le reste est la plus belle histoire qu'un auteur puisse entendre.

Je me suis donc demandé comment il m'était possible de remercier un livre. Il faut l'avouer, il m'a menée loin dans l'onirisme. J'y ai pensé pendant près d'un an. Encore une fois, ce sont mes personnages qui m'ont inspirée.

Sans se concerter d'aucune façon, ils m'ont écrit, qui pour me dire son bonheur, qui pour me parler de sa mort trop hâtive, qui pour me vilipender.

Dix lettres inattendues, étonnantes... écrites comme pouvaient le faire les personnages, Émilie, Napoléon, Ovila, Blanche, Douville ou Côme...

Ohhhh... le bonheur de les retrouver, autrement, différents et ailleurs.

Arlette Cousture

21 décembre 1992

Chère petite-fille,

J'ai quitté ce monde bien avant que tu n'y arrives. Tu fais partie de cette cohorte de petits-enfants dont, jusqu'à ma mort, j'ai ignoré l'existence. Dommage. J'aurais aimé vous connaître, non pas tant pour vous bichonner, mais bien pour voir s'il y avait encore chez vous de moi et d'Ovila.

J'ai aimé cet homme à la folie, mais à y repenser, je ne crois pas que nos folies se soient fréquemment rencontrées. Je dirais qu'elles se sont à peine croisées. Je m'interroge maintenant sur les raisons qu'il avait de me demander en mariage si ce n'est pour m'enlever à quelque soupirant. Au moins tu auras compris que le grand perdant aura été Henri Douville, le cher homme.

Encore maintenant, je crois avoir rêvé quand je repense à Ovila. Il était grand, beau et indépendant. C'est peut-être ce qui m'attirait. Je n'avais qu'un désir, le faire chuter dans mes filets tendus à tous les coins de sa vie, depuis l'école jusqu'aux chantiers.

Dans la paroisse de Saint-Tite campagne, il n'y avait pas beaucoup d'hommes d'aussi beau que lui, hormis son frère Ovide. Nous n'avions que deux ans de différence, mais j'aurais aimé que tu lui voies le regard, les cuisses et le postérieur. Quant à ce que ses vêtements cachaient, pendant longtemps j'étais la seule à pouvoir y accéder. Il s'était fait des épaules carrées et puissantes à force de bûcher. Il avait un corps qui ressemblait à ceux des ouvriers de la fin du xixe ou du début du xxe siècle, je dis bien qui ressemblait. Si j'osais, je dirais qu'il était encore plus beau que le David de Michel-Ange, dont mon bon Henri m'avait montré une photographie. Tu sais que, même maintenant, ces pensées impudiques – Henri aurait dit lubriques – me troublent. Je suis un peu effrontée de parler de son corps puisque ce n'est ni de mon âge, ni de ma génération. Le fait est que c'est quand même la première chose qui nous saute aux yeux, tu en conviendras. Je peux t'avouer, maintenant que je sais que tu as deviné beaucoup de nos secrets, que je ne cessais de nous trouver des occasions d'être ensemble. La crèche de Noël aura été la première. Je regardais toutes les filles qu'il pouvait zieuter et je voyais bien qu'Ovila était une espèce de coq. Donc, à mon goût, il était le plus beau de la paroisse, peut-être pas le plus attentif ou le plus serviable, mais le plus beau, c'est certain.

Il était impossible que nous nous fréquentions et je me disais toujours que cette situation pouvait tuer tout ce qui pourrait arriver entre nous. Plus grands les difficultés et les interdits, plus je me cassais la tête à me demander si je n'étais que la maîtresse d'école. Il y avait, parmi mes élèves les plus âgées, des filles plus minces et plus jolies que moi. Des filles de cultivateurs prêtes à prendre le vieux bien sans se poser de questions. Moi, je m'interrogeais. Je voulais être autre chose qu'une femme de cultivateur. Jamais, au nom de mes principes, je n'ai jalousé une de mes élèves, et il y en avait qui ne se gênaient pas pour le reluquer ou lui faire de l'œil. Je voyais tout, mais il me fallait être aveugle et je n'avais pas encore dix-sept ans. Il m'était très difficile de ne pas tenir mon rôle d'aînée, de m'empêcher de dire «Pas touche, ce sera le mien».

Puisque tu sembles t'être intéressée à moi, je ne cacherai pas qu'Ovila m'avait appris que, quoique j'aie toujours été un peu trop en chair, il trouvait cette chair appétissante. Ça me consolait en pensant à ces belles greluches de mon âge.

À mon époque, chère petite-fille, nous nous réservions corps et âme pour le mariage. Ne me demande surtout pas comment s'étaient peuplés nos orphelinats, je ne pourrais répondre. J'étais si pudibonde que je n'aurais jamais imaginé qu'Ovila puisse me frôler la poitrine ou m'embrasser sur les lèvres. Nous n'étions pas très délurés, et le jour où il a ouvert toute grande la bouche sur la mienne pour me l'aspirer, j'ai étouffé parce que mon cœur a cessé de battre – quand même j'étais terriblement surprise –, mais aussi parce que j'ai eu beaucoup de mal à respirer.

Comme nos parents l'avaient été, nous étions des enfants qui, les dents permanentes à peine sorties, devaient assumer des responsabilités. Nous n'aurions jamais pensé que la vie puisse être autrement. Toute ma jeunesse, j'ai dû être l'ombre de ma mère. J'étais son aînée et il était entendu que je le sois tout le temps. Dès qu'elle avait un enfant, et laisse-moi te dire que c'était son lot, maman me le confiait. Je devenais son ange gardien qui veillait à ses relevailles. Je voudrais te dépeindre une de mes journées que je t'essoufflerais. Dans ma jeunesse, que dis-je, toute ma vie, sauf à Shawinigan, dans la maison de monsieur Trudel, et dans mon dernier logement de Saint-Stanislas, il n'y avait pas de robinet, mais une pompe. Je ne vais pas m'attarder à mon quotidien, tu l'as fait mieux que je ne saurais le faire. J'ai, par contre, l'impression que tu as voulu donner une espèce de poésie à des gestes quotidiens, difficiles et ennuyeux : bûcher, se déplacer à cheval, garder le poêle à bois allumé, faire l'impossible lavage en frottant sur la planche à laver, et je ne les nommerai pas tous parce que c'est un chapelet d'*Ave* de platitudes et d'embûches quotidiennes. Je te donne un exemple auquel je gagerais tu n'as jamais pensé. Ta mère est la seule de mes filles que j'ai vue en pantalon et c'est bien parce qu'elle travaillait en Abitibi et que c'était une nécessité. Moi, je n'ai jamais porté de pantalon de ma vie. Je te laisse imaginer l'inconfort et les blessures qu'on s'infligeait uniquement à faire les foins. On rentrait à la maison les jambes en sang, et sans la bonne vieille Vaseline on aurait souffert le martyre. Henri se faisait un malin plaisir à me rappeler que le mot Vaseline venait de l'allemand *Wasser*, si mon souvenir est bon, qui voulait dire « eau », puis du mot grec qui veut dire « huile » – il le disait en grec, lui, mais moi j'ai oublié –, et finalement –*ine*, qui est comme la dernière syllabe d'un mot scientifique. Je vois que j'essaie de t'impressionner, mais je trouve mes explications maladroites et un peu insignifiantes. Tout le temps des foins donc, parfois trois ou quatre jours, encore plus s'il pleuvait, on avait les jambes égratignées jusqu'aux cuisses, quand elles n'étaient pas carrément écorchées. Si par malheur on se grattait en dormant, nos jambes pouvaient s'infecter et nous faire la vie dure pendant des semaines.

Pour une fille de la ville de ton époque, faire les foins, c'est beau, mais pour une fille de la

campagne de mon époque, c'était un dur et douloureux labeur. Je n'ai pas l'intention de te parler
des odeurs des hommes puis des femmes aussi.
On cuisait tous sous le soleil, on suait comme des
bœufs, mais on devait attendre au samedi pour
se laver.

Tu sembles aussi penser que la saison des sucres
était une belle saison agréable. C'était tout le
contraire. Les hommes calaient dans la neige
quand ils installaient les chalumeaux et les chaudières. Quand la neige fondait un peu trop, les
chevaux pouvaient s'enfoncer vraiment profond,
emportant le traîneau aussi. J'ai déjà vu monsieur
Pronovost passer toute une journée, avec trois de
ses gars, à les déprendre. Je peux te dire que ça
prenait de la patience pour réussir à les sortir du
pétrin et pour réussir également à ne pas com-
mettre de sacrilège en laissant échapper un gros
juron gras.

Tu vis à l'époque de l'image, chère petite-fille,
et les images n'ont ni sueur, ni odeur, ni cris, ni
pleurs. Telle n'était pas du tout la réalité. Quel
privilège j'ai eu que mon père me donne une
jument! Je mentirais si je disais le contraire, mais
c'était toute une responsabilité pour une fille
de dix-sept ans. Je devais la nourrir, la brosser, la
faire ferrer, payer pour le forgeron, payer pour
un vétérinaire avec mon salaire épouvantable – je

gagnais un dollar quatre-vingt-dix par semaine, moi, quatre-vingts dollars par année, moins les neuf semaines d'été où je ne travaillais pas –, m'assurer qu'elle faisait assez d'exercice, surtout en hiver quand le froid me forçait à la mettre en pension chez les voisins, parfois les Pronovost, parfois d'autres. Il fallait que je la sorte, que je l'attelle, que je m'emmitoufle – quand il faisait froid à faire geler le poêle, je me mourais. Ça doit être bien beau, la photo d'une maîtresse d'école dans sa carriole, mais laisse-moi te dire qu'au premier coup de fouet j'avais plus qu'une heure de travail dans le corps et j'avais déjà les mains gelées à gercer.

J'ai trop de choses à te dire et je suis à même de voir que j'écris en vrac, par bribes, une pensée qui sautille d'un souvenir à l'autre. Ce que je veux te dire, chère petite-fille, est que j'ai trouvé beaucoup trop généreuse la vie que tu m'as inventée. L'aurait-elle été à moitié, que dis-je, au quart de ce que tu m'as fait faire ou dire, on en parlerait encore dans le canton.

J'ai eu une vie dessinée d'avance, prévisible, presque ennuyante, même si tout ce qui pouvait se dire de méchanceté ou se faire de mesquinerie a été dit et fait après le départ de ton grand-père. Il est vrai que tous ces lendemains de soirs où on me le ramenait ivre mort, sans conscience, ni regret, ni remords ont fait jaser au point où le curé Grenier venait me voir pour me demander si j'avais besoin d'aide. Je marchais la tête haute, moi, mais en dessous du chapeau, je t'assure que j'aurais donné une fortune pour pouvoir plier l'échine et pleurer. Personne n'en parlait, mais dans le village il y avait les femmes qui n'allaient pas à la messe du dimanche parce que leurs maris leur avaient fait violence, par hasard le vendredi soir, ou par accident le samedi soir. Il y avait des hommes qui dormaient dans l'écurie parce que leurs femmes leur fermaient la porte au nez. As-tu déjà pensé à écrire sur le silence des femmes? Si tu me dis que ça ne me regarde pas, tu as raison.

Les hommes du samedi soir, ceux qui rentraient de l'hôtel éméchés, le souvenir éteint, n'avaient pas de quoi allumer la fierté de leurs mères ou la passion de leurs femmes. Mon sentiment à moi est que les enfants étaient conçus les jours de semaine pluvieux en été ou de tempête en hiver. Je pense pas que ça se fricotait beaucoup les fins de semaine. Dans tous les cas, pas chez nous.

Je trouve que tu nous as décrits, Ovila et moi, comme si on pensait rien qu'à ça. Des espèces de bêtes: saute au lit, fais ton devoir et tais-toi sur ton plaisir, pars au chantier, reviens à la maison, fais ton devoir et tais-toi sur ton plaisir. On était tellement fatigués presque tout le temps, ma chère, que c'était un miracle que nos hommes aient eu envie de prolonger les soirées. Je te dis pas qu'on y pensait jamais, je te dis pas qu'il nous arrivait pas de se donner un coup de peigne avant de se coucher, jamais je dirais ça, mais mon mal de ventre du mois m'accommodait. Mon mal de tête lorsque j'avais pris trop de soleil aux foins m'arrangeait aussi. L'haleine d'Ovila quand il avait trop bu et que sa virilité avait perdu de son évidente fierté ne me dérangeait pas trop. Par contre, j'étais blessée, fois après fois, quand il rentrait soûl comme un cochon. Les années m'ont alourdi la cuisse, et les nuits folles sont devenues folles pour d'autres raisons.

C'est beau, l'amour, ma chère enfant, rien de plus beau, mais quand ton amour est trop soûl pour se souvenir du nom de ceux qui l'ont ramené, pour se traîner jusque dans son lit, trop lourd et mou pour que moi je sois capable de l'aider à le faire, trop soûl pour viser le pot de chambre en se soulageant, trop parti pour avoir connaissance que le ramdam qu'il fait réveille toute la maisonnée, tu te demandes comment appeler ton sentiment. Tu trouves des mots que tu voudrais effacer de ton savoir, comme mépris, haine, colère, honte, humiliation, chagrin et crainte. Le matin, le midi, le soir et la nuit, le désespoir.

Ma vie que je ne voudrais pour rien au monde recommencer, et je te dis ça sérieusement, était celle d'une aînée de famille nombreuse, née tout juste avant les vingt dernières années d'un siècle que seule ma curiosité insatiable m'a permis de connaître. C'est mon cher Henri, encore une fois, qui m'a instruite. Penses-tu vraiment que j'aurais pu imaginer à quoi pouvaient ressembler les autres villes de mon monde, de mon temps? Jamais. L'automobile était à peine inventée que Paris avait un métro! Henri me racontait et je lisais ce que je pouvais dans les journaux que je trouvais, la plupart du temps froissés et éparpillés dans les salles d'attente de cabinets de médecins ou que le curé Grenier me rapportait de ses déplacements. J'ai vu les trains et les machines, mais j'ai pas la moindre idée de ce qu'est ce métro. Puisque je parle du curé Grenier, je veux te remercier d'avoir dit à peu près vrai. Il était bon, généreux, et n'avait qu'une pensée: aimer et aider son prochain. Voilà tout ce qu'il y a à dire. Quant à ses travers, jamais je lui en ai parlé, trop reconnaissante que j'étais.

Je reviens dans le temps, ma chère. Où es-tu allée pêcher l'idée que je me suis révoltée contre mon père parce que les filles servaient les hommes avant de pouvoir manger? D'après ce que tu dis, ça se serait passé en 1892. Ce qui m'étonne, c'est que c'est vrai. Ce qui m'étonne encore plus, c'est que tu as été forcée de l'inventer. Les témoins de ça étaient au cimetière ou dans les livres d'histoire depuis belle lurette quand tu as commencé à écrire ton histoire. Je me suis révoltée contre mon père à cause de ça et il m'a dit que c'était quasiment renier tout ce qui était écrit dans la Bible et les Évangiles. Jamais vu mon père aussi rouge et autant bégayer tellement il était en colère.

Tu peux pas imaginer, chère petite-fille, l'autorité qu'avaient les mâles sur tout ce qui était femelle. À chaque hésitation ou refus de notre part, ils nous faisaient comprendre, calmement ou en criant, qu'on devait obéissance, incluant d'enfiler la jaquette du devoir au gré de leur besoin. Oui, j'ai connu des hommes qui étaient pas comme ça, et je dirais que, jusqu'à la Première Guerre, presque jusqu'à la Seconde, un homme sur deux l'était, si pas plus. Pas Ovila. Moi, j'ai jamais porté la jaquette du devoir, mais ce serait possible que ma mère l'ait fait, madame Pronovost aussi. Ovila et moi, on n'était pas tout à fait comme les autres. On faisait partie de ces originaux qui pensaient que les enfants ont le droit d'exister en même temps que leurs parents, sans nécessairement être à leur service. Je m'arrête quelques minutes, là, chère Arlette, il faut que je respire. Tant de souvenirs m'étouffent...

Dans la paroisse, je te raconte ça sans le nommer, il y avait un grand-père qui s'était donné à ses enfants avec le vieux bien. L'enfant de carême était vieux et rabougri et passait toutes ses journées assis dans sa chaise berçante. Mais, si les parents étaient sortis quelques minutes, il trouvait le moyen d'accrocher une de ses petites-filles avec sa canne pour la tripoter. On en entendait pas mal, de ces histoires-là, mais personne les racontait. Quant à la suite des événements durant la seconde moitié du siècle, je le saurai jamais et je suis obligée de te croire parce que je mangeais les pissenlits par la racine dans le cimetière de Saint-Stanislas.

Bon, qu'est-ce qui a pu se passer pour que nos rêves se retournent contre nous? Pour qu'on m'arrache toutes les fibres maternelles, une par une. Ça, ça m'a fait cent fois plus mal que d'arracher les piquants d'un porc-épic.

En un jour maudit et pourtant attendu – on le voyait venir –, il aurait fallu être aveugles pour pas comprendre qu'on avait tiré sur l'élastique de notre mariage un peu trop fort. J'ai pas envie du tout de te parler du départ d'Ovila, de sa tentative de remariage, de ses blondes, de ses visites sporadiques dans les lieux où j'ai été obligée de me réfugier avec mes enfants. Non, chère petite-fille, tu as inventé des choses, tenons-nous-en à ça. J'ai davantage envie de te raconter ce que t'as pas dit parce que t'as jamais su ou pu imaginer.

Premier piquant à arracher : accepter de voir s'en aller mon bel Émilien. Le deuxième homme de ma vie devait apprendre à survivre. Il est parti pour l'Abitibi vers les promesses du Canadian National Railway et celles du curé Labelle, sans diplôme dans ses poches, six poils à la moustache, pas tellement plus au menton, même pas quinze ans. Seigneur de Seigneur, que j'ai vécu ça comme un échec. Comment était-ce possible que mon enfant, le fils d'Émilie Bordeleau, maîtresse d'école, rejoigne la cohorte des petits Canadiens français sans diplôme ? Au moins, il avait été trop jeune pour s'enrôler dans l'armée. Clément, encore moins de poils au menton, est parti à son tour quelques années après. Je ne parlerai pas de Paul ni de ta mère parce que c'était en réponse à mes prières qu'ils ont pu s'instruire, ici encore, grâce au curé Grenier. Ensuite, ma belle Marie-Ange s'est offerte pour travailler en usine avec Rose, pour la surveiller et lui apprendre un métier. Voyons, partir de la maison de sa mère et travailler en usine pour aider sa sœur. J'ai pleuré toutes les larmes de mon corps. Sacrifier son talent – parce que Marie-Ange avait un talent fou – pour aider sa sœur, qui en avait moins, à gagner sa vie. Ça s'appelle du don de soi, mais je pense que ce n'est pas toujours nécessaire. En tout cas, pas pour ma fille.

Tu sais évidemment que je suis restée seule avec mes trois plus jeunes, mais tu ne sais pas mon humiliation d'attendre, mois après mois, l'argent que mes aînés m'expédiaient pour nous faire vivre. Tu te rends compte, me faire vivre par mes enfants !

Presque tout mon monde, comme par hasard, s'est dirigé vers l'Abitibi. Jeanne, Alice et Rolande ont rejoint Émilien et Clément. Blanche y est allée pour travailler, et Paul, pauvre âme en peine, pour y être malade et végéter. Je me suis torturée et je ne saurai jamais s'ils avaient choisi l'Abitibi pour les ouvertures qu'il y aurait ou tout simplement pour rencontrer et connaître leur père. Si je voulais te dire la vérité, j'espérais qu'ils ne le verraient pas, convaincue qu'Ovila allait les décevoir comme il l'avait fait avec moi et sa famille. Il est évident que je n'ai plus jamais su ce que vivaient ni ce qu'allaient devenir mes enfants. Apparemment, ils étaient normaux puisqu'ils ont pu être amoureux et se marier.

Ici, encore, j'ai traîné mon âme sur les chemins de terre. Mes enfants voulaient voir leurs parents le jour de leur mariage, et j'aurais été sans-cœur de ne pas y être. C'était du joli. Ovila et moi n'étions pas assis ensemble, et c'est à son bras qu'ils descendaient l'allée. Je faisais tous les efforts du monde pour ne pas ressembler à une *mater dolorosa*. C'est assis côte à côte que nous aurions dû être, les coudes serrés sur ceux de nos enfants, et non voir notre famille éparpillée dans la nef. Échec, nous étions face à un échec total. Ovila m'avait souri en prenant sa place, et ma tristesse m'empêchait de lui rendre la pareille. M'être écoutée, j'aurais demandé à mon cher Henri d'être près de moi, mais il y a des choses qu'on se refuse.

Je repense à tout ce brasse-camarade que j'ai vécu. Je n'ai cessé de cahoter sur les routes, mon ménage derrière moi dans un camion à foin, ma vie et mon intimité offertes au vu de tout le monde. J'ai enfin retrouvé un peu de parenté à Saint-Stanislas pour me sentir en confiance. Comme un saumon, j'étais revenue sur les lieux de ma naissance.

Puis un jour, notre médecin de Saint-Stanislas, un jeune freluquet dans la quarantaine, sûr de lui et de son savoir, m'a dit sans détour, avec quand même un air de circonstance : « Ma belle madame, c'est fini. » Un cancer me grugeait. J'avais soixante-six ans, chère petite-fille, et pas un seul instant j'ai pensé être trop jeune pour mourir. Au contraire, j'étais pressée de partir pour éteindre mes tourments et mes regrets. Je n'avais plus d'enfant ayant besoin de moi, sauf Paul, mais il gagnait bien sa vie sur la machine à tricoter que nous lui avions offerte. Rose, ma petite Rose, contre toute attente avait trouvé un homme bon. J'aurais aimé que tu parles de la générosité de ces gens qui acceptent de donner leur chance aux Rose de ce monde.

J'avais négligé le fait que la maladie allait m'assommer. J'étais donc affalée sur mon vieux fauteuil de velours râpé quand on a frappé à la porte. J'ai dit: «Entrez, c'est ouvert.» Personne n'est entré, on a frappé à nouveau. «Entrez, c'est ouvert.» On a entrouvert la porte et j'ai vu apparaître la tête de ton père. Il s'est précipité à mes côtés. «Pourquoi tu entrais pas?» que je lui ai demandé, et il s'est penché pour se coller l'oreille à ma bouche. J'ai compris qu'il ne m'avait pas entendue.

En moins de deux, j'étais dans un train en route pour Montréal, calée sur des oreillers. Je voyais le rouge des arbres et le bleu-gris du ciel. Clovis avait déposé sur moi une couverture de la Hudson's Bay aux rayures classiques vertes, rouges, jaunes et indigo. Je ne me sentais pas vraiment capable de parler, aussi ai-je fermé les yeux, et je n'ai pensé qu'à une chose: comment se faisait-il que je revoyais ma vie sur la couverture, le lac à la Perchaude? Je n'avais pas envie de dire autre chose à Ovila que «dommage». Ahhh, les couchers et les levers de soleil que j'aurais pu voir avec mon cher Henri, qui aurait été là, à mes côtés, dans ce train. Je sais qu'il m'aurait dit quelque chose comme : « Ma muse, mon amour, je serai près de toi jusqu'à la seconde de ton trépas. » Moi, je lui aurais dit : « Cher Henri, mes pensées sont collées aux tiennes. Merci d'être là. » Il m'aurait tout donné et je le lui ai refusé, qu'il me pardonne.

Ta mère – infirmière un jour, infirmière toujours – m'a accueillie malgré le bas âge de ses deux filles. Toi, tu n'y étais pas encore, chère petite-fille, je parierais que même pas en pensée. Blanche m'a installée dans sa chambre, a dormi sur des matelas posés au sol dans la chambre des filles, dont elle avait transporté les lits dans la salle à manger. C'est tassés comme des sardines que nous avons vécu les quatre mois de mon agonie.

Je n'ai pas de compliments à me faire. Je crois avoir été une vieille grincheuse. Les enfants m'énervaient, ta mère, il me semblait, n'arrivait jamais assez vite quand je sonnais la cloche posée sur la table de chevet, et Clovis parlait trop fort. Il avait d'ailleurs la manie de chanter durant ses ablutions et je ne souhaitais que le silence.

L'ultime silence noir vint enfin trois jours après Noël. Je n'ai donc pas vu l'année 1947.

Mais une drôle de chose s'est produite. J'ai quitté cette vie convaincue d'être accueillie dans le bleu de la foi, de la charité et de l'espoir. En fait, je m'y suis promenée au hasard des énergies et je m'y promène encore. Il y a eu ce jour de 1983 où tu es entrée chez toi, toute seule. Je savais que tu avais emmené ta mère et ta sœur à Saint-Tite et que tu y avais parlé de moi. Mais de là à savoir ce que tu avais dit, je n'ai probablement pas eu assez d'énergie pour l'entendre. Toujours est-il que tu as déposé ta valise, tu t'es assise au piano et tu as commencé à jouer un air de Mozart que je connaissais. Mais tu sanglotais à fendre l'âme et j'ai été si troublée que j'ai eu, en cet instant, envie de te tenir dans mes bras pour te consoler. J'ai compris que tu pleurais pour moi, c'est-à-dire à ma place ou à cause de moi. Pas évident de te dire : « Calme-toi, ma petite, je suis là. Tout doux. » Je te voyais bien. Tu ne ressembles pas à mes enfants. Probablement à ceux de ton autre grand-mère. Je pensais très fort, si fort que j'ai réveillé ton chat blanc, tétanisé, les oreilles dressées en antennes. Je dirais que lui me voyait. Pour attirer ton attention, j'ai sifflé l'air que tu jouais. Tu t'es levée et dirigée vers la porte avant de la maison. Il n'y avait aucun piéton qui sifflait, pas plus que sur le côté de la maison. Je t'ai vue vérifier les fenêtres des deux étages. Toutes étaient fermées. Tu t'es rassise au piano et tes sanglots se sont espacés. Tu as regardé ton chat et suivi son regard jusqu'au coin de la salle à manger, où je me tenais. Tu as dit : « Voyons, qu'est-ce qui se passe ? » avant de hausser les épaules et de te remettre à jouer. J'ai sifflé en duo avec toi. Tu as levé les mains comme si les touches étaient de feu et tu as de nouveau regardé le coin de la salle à manger. « Émilie ? C'est toi qui t'amuses avec la tension de la lampe ? Mon chat a peur. » Comment voulais-tu que je te réponde ? Tu as soupiré, t'es retournée et, une fois de plus, tu t'es mise à jouer. Je t'ai accompagnée. Tu as compris. « Je sais que c'est toi. Je pleure parce que tu as souffert toute ta vie d'un insupportable ostracisme. Je vais t'inventer une autre vie et l'écrire. Fais-moi savoir si tu es d'accord. » Tu as recommencé à jouer et je te suivais. Pour me défier, tu as levé les mains et j'ai poursuivi, seule, une ou deux mesures. Notre duo impromptu aura duré tout au plus deux minutes. Tu as éclaté de rire. J'avais réussi à te consoler et tu as compris que je te donnais carte blanche quant à la vie que tu m'inventerais. En partant, j'ai remarqué que l'ampoule de la lampe avait encore une fois baissé en intensité et j'ai vu le chat se recoucher.

Je sais tout ce qui est arrivé avec ce livre – mon pauvre père, Caleb, qui n'aura jamais su lire, en aurait aimé le titre, j'en suis certaine –, et tu m'as enfin offert la reconnaissance. Merci, merci,

merci, chère petite-fille ; t'avoir connue, je pense bien que je t'aurais aimée.

Émilie Bordeleau

P.-S. Je ne sais où tes parents ont pigé ton prénom, mais il me surprendra toujours. Moi, on me l'aurait demandé, je lui aurais préféré Charlotte. J'aurai toujours un immense attachement pour le prénom de cette petite fille que j'ai vue mourir et qui aura été le premier enfant auquel je me sois attachée. Je n'ai pourtant donné ce prénom à aucune de mes sept filles, par pure superstition. J'imagine que le mauvais sort ne concernait pas mes petites-filles.

P.-P.-S. Puisque nous avons parlé franchement, sache que je t'ai laissée écrire sans intervenir si ce n'est pour te dire comment était morte Louisa, mais seras-tu étonnée d'apprendre que je n'ai jamais enseigné à Ovila ?

Automne 1986

Chère Arlette,

D'abord, bonjour. Comment que tu vas ? J'espère que tu vas bien. Pour toi, juste pour toi, j'ai acheté un cahier d'école et une plume neuve pour t'écrire. Je sais que je risque de faire pas mal de fautes, mais au moins mes lettres vont être toutes de la même grosseur. Quand que j'ai pas de lignes, je pars toujours par en haut à droite de la feuille.

Je veux d'abord te dire merci. T'as jamais dit que j'étais pas bon à l'école. Une sainte chance du bon Dieu. Ta grand-mère pouvait être tellement péteuse de broue que c'est elle que t'aurais insultée. Je veux pas m'excuser pour ça, mais nous autres les gars on aimait mieux être dehors qu'entre quatre murs, encore que des murs d'écurie ou de grange, ça pouvait s'endurer. Peut-être que c'est juste les murs d'école qui nous énervaient. Bon, ça commence, bagatême, je suis obligé d'arrêter parce que je me demande si il faudrait pas mettre un « s » à quatre. J'ai pas de dictionnaire moi, puis *anyway*, j'ai toujours trouvé que le gars qui avait pensé à mettre de l'ordre dans les lettres de tous les mots était un génie, ce qui fait que je me sens encore plus petit.

Ta grand-mère a été la meilleure maîtresse d'école de tout le canton. Le problème, ça a été qu'elle était maîtresse d'école tout le temps. À l'école, les élèves avaient d'affaire à avoir le corps raide puis les oreilles molles. Dans sa famille, laisse-moi te dire que tout le monde l'écoutait sans discuter, à commencer par son Caleb de père. Dans ma famille, pareil. Une fois, j'ai vu que ma mère lui a quasiment lancé son tablier. Dans notre famille à nous deux, nos enfants devaient marcher au pas puis à l'œil. Maîtresse d'école tout le temps, que je te dis. Moi, je l'ai aimée comme ça. C'était plus facile. J'avais juste à faire ce qu'elle me disait. « Ovila, va donc bûcher, je sais pas si on a assez de bois. Ovila, va me chercher du sucre chez ta mère. Ovila, oublie jamais ça dans tes prières, il faut toujours que tu reviennes des chantiers avant qu'un nouveau bébé se pointe. »

J'imagine, ma p'tite, que t'as toujours su que, pour un gars comme moi, Émilie Bordeleau, c'était encore plus loin que le bout' de la marde. Elle était belle à croquer, intelligente, instruite puis, le curé Grenier et l'inspecteur Douville le disaient, elle était cultivée à part de ça. Dans la famille, moi, mes parents, mes sœurs puis mes frères, « cultivée », ça nous faisait rire. Nous, on cultivait la terre, pas les personnes. On a ri d'elle plus souvent qu'à son tour, mais ça restait entre nous autres.

Moi, quand j'étais jeune, je pensais à une seule affaire, lui labourer les côtes, bien, bien doucement. Ça, ma p'tite, ça me faisait rêver. Ta grand-mère avait quelque chose dans le visage, trop beau pour la classe ouvrière soit dit en passant, à me faire tomber dans les pommes d'amour. T'as assez bien dit le genre d'amour que j'ai eu pour elle, dans des beaux mots, ça c'est sûr, mais toi puis moi on sait que, finalement, cette bonne femme-là m'émoustillait autant que le fort puis la bière que je m'envoyais dans le gorgoton.

Pendant des années, juste la regarder me rendait fou. Y as-tu pensé ? J'avais vingt ans puis elle presque vingt-deux quand on s'est mariés. J'étais mineur, moi, elle majeure. Ça faisait drôle en chien, ça. Il me semble que ces mariages-là, ça arrivait plus souvent dans les campagnes que dans les villes. Heureusement que j'étais fait grand et fort, la différence d'âge paraissait pas trop, mais ça a pas empêché les mauvaises langues de dire que notre Rose-Alma était arrivée sur la peau des fesses du neuvième mois après le mariage. Elle est apparue un peu trop vite puis le monde a pensé qu'elle était déjà dans le fourneau. Si elle était arrivée trois ou quatre mois plus tard, là on aurait supposé que je pouvais pas servir ma belle ou qu'Émilie avait pas des œufs de bonne catégorie. Je voudrais pas me vanter, mais la première nuit, fatigués, pas fatigués, on l'avait fait quinze fois. C'est ça que ça fait, un homme de vingt ans. Il y a pas un chat qui pourra me contredire, mais crois-moi, quinze fois. C'est vrai qu'on a tous les deux eu du mal à marcher pendant trois ou quatre jours, mais quinze fois. Ta grand-mère puis moi, on a toujours pensé que c'est cette nuit-là qu'on l'avait faite, notre petite Rose-Alma.

Je voulais te remercier aussi de nous avoir permis d'avoir du plaisir dans la chambre à coucher. Quand Émilie décidait ou que je décidais de décrocher le crucifix en se couchant, on savait que la nuit serait pas tranquille. Mes parents ont eu treize enfants puis, sincèrement, je me demande encore comment et quand ils nous ont faits. J'ai jamais entendu un son ou un craquement de sommier qui serait venu de leur chambre. D'après moi, on est des enfants du devoir religieux, comme ça se faisait avant que notre génération apparaisse. Ma mère devait avoir la jaquette du devoir, pas Émilie, oh non. Heureusement que le XXe siècle nous a un peu *slacké* le *zipper*.

Le curé Grenier voulait quand même qu'on fasse des enfants pour le bon Dieu d'abord, puis pour la patrie ensuite. Laisse-moi te dire qu'on en a fait. Puis un, puis deux, changez de côté on s'est pas trompés, puis trois. Trois en quatre ans. Puis là est arrivé l'année 1906. Avec le recul, ma p'tite, c'est certain que c'est cette année-là que la vie a arrosé le feu qui nous tenait le corps au chaud. Quand tu souffles sur un feu de brindilles, soit que ça le repart ou que ça l'éteint. Le nôtre s'est éteint. En tout cas, a plus jamais été aussi brûlant.

Notre Blanche-Louisa est morte dans la nuit du 29 mars, mais je t'apprends rien. On dirait seulement que t'as pas pensé deux minutes qu'Émilie, quand Blanche-Louisa est devenue un petit ange au paradis, avait Émilien en route depuis quatre mois. Elle avait une vie en chantier, celle de mon premier gars à part de ça, quand on s'est payé la cérémonie des anges. Ça, par exemple, tu l'as tout bien dit. Je pense simplement que l'Émilie de mes rêves a décidé, encore une fois, de changer de côté, pour me haïr. J'ai presque plus jamais eu la preuve du contraire.

Comme je suis ton grand-père même si toute ma vie ou presque j'ai eu la réputation d'être un trou de cul, explique-moi pourquoi t'as inventé que j'étais rentré soûl mort à la maison cette nuit-là, puis que c'est de ma faute si Blanche-Louisa est

morte. Je trouve que c'est un coup bas en bagatême. J'étais loin d'être parfait, mais me faire faire
des coups de cochon comme ça, ça m'a fait une
trop grosse côte à remonter dans l'estime puis
le respect des gens de la paroisse et d'ailleurs.
M'as-tu inventé juste pour me faire perdre la face
tout le temps ? Pourquoi est-ce que le monde pouvait même plus me parler sans avoir l'impression
de trahir Émilie ? Pourquoi tu m'as fait ça ? Il y a
du vrai dans ce que tu racontes, mais je peux pas
croire qu'à chaque fois que je prenais un coup à
l'hôtel Périgny avec les gars je mettais la vie de mes
enfants en danger. Je peux pas croire que t'aurais
voulu qu'Émilie me renie chaque fois. C'est pas
une vie, ça. En tout cas, moi j'en ai jamais voulu
de cette vie-là.

C'est certain qu'on n'a pas eu d'enfant en
1907. Il y a pas un homme de bois qui va rester
dans sa maison quand les murs lui font penser à
un cercueil. Je recommence à parler des murs
comme tout à l'heure quand je disais que nous
autres, les gars, on est pas fous des murs. Ce qui
s'est passé en 1907, c'est que j'ai pris les murs de
la maison en grippe. Cette fois-là, c'est dans les
larmes que j'ai versé le trop-plein de tout ce que je
buvais. Je suis parti. On reviendra peut-être à cette
histoire-là, ma p'tite, si j'en ai le cœur. Là, je
suis plus capable de voir ma feuille parce que la

mort d'un bébé, quand c'est le nôtre, ça nous embrouille la vue pour toujours.

On peut dire que t'as comme un peu décidé de me tuer le cœur, mais je voulais quand même te remercier d'avoir dit du bien de mes frères que t'as pas plus connus que tu m'as connu, mais ça a l'air que c'est comme ça que les écriveux travaillent. Ils prennent un nom puis ils brodent autour. Si ça marche pas, ils font du reprisage. Je parle de mes frères Edmond, Lazare puis Télesphore, notre bijoutier. Ça aussi, ça nous faisait rire. Un bijoutier, est-ce que c'est le gars qui s'occupe des bijoux de famille ? En tout cas. Edmond aimait les chevaux. Tu dis juste ça, ou presque. Moi aussi, j'aimais les chevaux. On en avait plusieurs dans la famille. Pas une seule fois t'as dit que je venais chercher Émilie à cheval pour qu'on fasse des promenades dans les bois. Pour la messe, c'est sûr que c'était en calèche, en carriole ou en traîneau. J'aurais aimé que tu parles des fois où mes parents nous permettaient de faire une promenade avec Edmond. C'était tellement agréable et tellement beau. Émilie montait derrière moi, réussissait à s'asseoir sans offenser sa pudeur ou la nôtre, et on partait en remontant la côte du Bourdais avant de rentrer dans le bois. Les plus belles *rides*, c'étaient celles de l'automne. Bagatême que c'était beau. Le bois commençait à sentir le départ des feuilles qui tombaient ou étaient déjà tombées, mortes. Émilie me disait que c'était comme si on s'était promenés dans un coffre de pierres précieuses. Moi je me taisais en me demandant où diable est-ce qu'elle avait vu des pierres précieuses. En tout cas. Quand elle était à cheval derrière moi, je sentais son souffle dans mon cou et je me disais que j'avais eu une bonne idée de pas mettre d'écharpe. Ça permettait à ses bouffées d'air chaud de me chatouiller. Mine de rien, j'essayais d'imaginer à quoi ça ressemblerait si jamais un jour on se mariait puis qu'elle me soufflait cet air-là sur tout le corps. C'était une sorte d'air qui sentait son parfum. Une fleur qui serait peut-être venue de France, mais ça a pas d'importance. Son parfum sentait comme son corps puis son haleine, comme son âme, j'imagine.

Le petit lac à la Perchaude où on a passé notre nuit de noces et où on s'est baignés tout nus avec les ouaouarons puis les chauves-souris, c'est à dos de cheval que j'y allais tout le temps. Émilie m'avait même demandé, après les funérailles de Charlotte, de l'emmener parce qu'elle voulait crier sa peine sans déranger personne. T'as jamais parlé de ça.

Je sais pas si tous les écriveux sont pareils, mais il me semble que t'as mis ta loupe sur tout ce qui allait mal et que tu regardais ailleurs quand que ça allait bien. Est-ce que pour faire une bonne histoire, il faut que ça aille mal ? T'as dû faire une bonne histoire parce que tu m'as fait une vie qui, bagatême, allait tout le temps mal.

Après 1906, on a eu comme une année pleine de rien. On aurait dit que tous les deux on s'était vidés de notre amour, on s'était vidés de notre vie, elle parce qu'elle me disait tout le temps que c'était de ma faute si le bébé était mort. C'est parce que j'étais trop écœuré de l'entendre se répéter que j'ai sacré le camp.

Il y a juste un trou de cul qui reviendrait pas pour la naissance de son quatrième enfant. Je l'étais. J'ai été parti pendant presque un an, peut-être plus. En fait, je sais plus pendant combien de temps exactement. Longtemps. Quatre ou cinq saisons ? Je voulais mourir, peux-tu comprendre ça, toi, ma p'tite ? Je voulais aller rejoindre ma Blanche-Louisa. Je savais, demande-moi pas pourquoi, mais je savais que jamais, jamais Émilie me pardonnerait sa mort, même si ce n'était pas de ma faute.

Je suis rentré et je pense qu'elle était contente de me voir. La crapaude avait même pas fait baptiser le bébé. Elle m'attendait. Ça se fait pas, ça. On venait d'enterrer un enfant puis elle a commis l'imprudence de pas baptiser Émilien. Tout à coup qu'il serait mort en dormant, lui aussi ?

Il aurait tourné en rond pendant toute l'éternité dans les limbes? Bagatême. Si ce bébé-là était mort, toute son éternité sans récompense aucune aurait été gâchée. Un jour, j'aimerais ça que quelqu'un m'explique ce qui se passe dans la tête des femmes. Dans le corps, je le sais. Mais dans la tête?

Ça sentait le printemps puis son muguet quand Émilie a décroché le crucifix. Hou là là. Quelqu'un qui nous aurait vus faire aurait juré qu'on était redevenus des amoureux fous, en tout cas des amoureux fous du printemps. Les animaux se multipliaient à qui mieux mieux dans les champs, dans la porcherie, même dans le poulailler. Les nuits étaient remplies de cris et d'essoufflements.

Je pensais que ma vie irait de mieux en mieux. Mon Émilie s'est retrouvée pleine encore une fois. Je la trouvais belle sans bon sens, ronde comme un œuf. Mais là, tu m'as fait repartir. Pourquoi est-ce que tu m'as fait ça? Pire, tu m'as laissé me morfondre dans les chantiers. T'as jamais insisté sur le fait que je partais pour gagner notre vie. T'aimais mieux dire que je buvais tout ça. C'était pas vrai, ça. Tu le savais, toi, que je serais pas là pour la naissance de Blanche? J'ose pas dire ce que je pense de toi, mais j'aurais aimé mieux avoir une autre écriveuse pour m'inventer une vie, bagatême. Plus fine avec moi en tout cas. Des fois, je me demande si t'aimes les hommes ou pas. Tu passes ton temps à nous massacrer.

Quand même on a, tant bien que mal, repris notre vie de famille. Ta grand-mère me boudait quand ça allait pas, ça, ça veut dire quand je levais le coude trop souvent, puis elle décrochait le crucifix quand ça allait bien. Après Blanche, on a quand même eu Paul-Ovide, Georges-Clément, Jeanne-Emma, Alice puis Rolande-Laurette. C'est pas mal pour du monde qui s'aimait pas. C'est toi qui dis qu'on s'aimait pas. Il y a quelque chose de pas logique dans ta tête. Tu sauras que ta grand-mère, c'était pas le genre à se laisser approcher par devoir. Moi non plus. Peut-être qu'elle gigotait un peu moins en vieillissant, mais je l'ai jamais entendue me dire non. Là, c'est pas vrai ce que je dis. Elle disait non si je sentais trop la tonne. De toute façon, quand je sentais le fond du baril, c'est mon fond de culotte à moi qui s'endormait puis qui se levait pas. Pas plus compliqué que ça.

Est-ce que tu penses que j'essaie de t'expliquer chaque maudite affaire de cette vie de marde que tu m'as imposée ? Si tu le penses, t'as raison. Après la naissance de Rolande, je pouvais même plus me regarder dans le miroir. J'étais tellement bon à rien que même moi je réussissais plus à me pardonner l'homme que j'étais devenu. Encore une fois j'ai décidé de partir. Loin, assez loin pour me perdre à tout jamais. Loin, sans adresse ou casier dans un bureau de poste. Loin, sans chemin de tracé pour me trouver. Assez loin pour que personne me connaisse ou me reconnaisse. Pour m'effacer de l'ardoise les jours où même ma mère aurait pas pu m'aimer. Loin de toi, ma p'tite, pour que tu me laisses tranquille le temps que je me refasse. Occupe-toi d'Émilie puis de son courage, puis dis de moi tout ce que tu voudras. Je serai trop loin pour t'entendre, bagatême.

Les années ont passé puis même si tu me voyais pas t'as réussi à inventer que je faisais encore de la peine à Émilie. T'inventes Rayon de Lune. Sais-tu quoi, ma p'tite ? Tu l'as pas inventée. Elle s'appelait pas Rayon de Lune, mais elle est venue coller sa peau brune et chaude sur la mienne qui frissonnait quand elle s'approchait de moi. Vous autres, les femmes, vous comprenez pas que quand qu'on sort du ventre de notre mère et de sa peau chaude, lisse, douce sans bon sens, on veut toujours revenir dans un ventre pour se sentir en sécurité, pour se dire qu'on est si vivant qu'on peut multiplier notre vie à l'infini dans votre doux.

Un jour que j'étais de passage, je me souviens plus comment ça se fait, j'ai vu des enfants que je connaissais pas pantoute. Il y en a une qui s'est approchée de moi, a fait une petite révérence de sœur avant de me dire : « Bonjour, monsieur, ma mère dit que vous êtes mon père. Je vous respecte. » Je me demandais qui m'avait parlé. Que le bon Dieu me pardonne, mais je pense avoir été une mauvaise personne puis encore pire comme père. Pas tout le temps, mais quand même, à bien y penser, j'ai jamais donné le bon exemple, j'ai jamais donné d'exemple. J'ai passé devant tous mes enfants, moi d'abord, toujours pressé de me rendre dans un débit de boisson. J'ai peuplé la terre, à plein, mais ça s'est arrêté là. Je les ai pas nourris. J'ai honte. Je leur ai certainement pas appris qu'il fallait s'aimer les uns les autres. J'ai cessé d'être aimable je dirais dans la quarantaine avancée. Après ça, j'ai changé de peau pour devenir un ours.

J'étais un bon ours. Je parlais à personne, puis si on me parlait, je répondais pas. Tu sais que j'ai travaillé dans le bois comme garde forestier ? Je grimpais tous les matins dans mon poste d'observation puis je regardais, au nord, au sud, à l'est puis à l'ouest. J'étais comme une girouette ou une toupie. Ça m'est arrivé de voir de la fumée puis de partir à cheval pour avertir les hommes du village. Je faisais bien ma job sauf que, un jour, à la brunante, les gens du gouvernement m'ont demandé de descendre de mon poste d'observation. Ça a pas été drôle.

« Il y a pas d'urgence ? que j'ai demandé.

— Peut-être, qu'ils m'ont répondu.

— Si c'est juste peut-être, je vas rester juqué.

— D'abord, c'est un tout de suite. »

Ils m'attendaient. J'ai pas réussi à descendre. Je suis tombé, par bonheur trop soûl pour me faire mal. Mais c'est à partir de là que j'ai eu le dos raide pour le reste de ma vie.

Je suis repassé en Mauricie pour travailler sur la terre du père, que mes frères avaient reprise. Bagatême, j'ai toujours haï la ferme. La terre qui sent pas l'ombre puis le soleil, c'est pas vrai, ça. La terre quand qu'on entend pas le vent dans les arbres puis les oiseaux qui vivent là, c'est pas vrai non plus.

J'ai pas eu l'intelligence d'attendre l'hiver pour me pointer. J'aurais pu bûcher pour la famille ou pour les autres. Me faire un peu d'argent. Je suis arrivé, les foins étaient finis. Tout le monde était content de me voir… mais personne voulait travailler avec moi. On a fait la fête, moi je peux être un gars drôle, tu sais, mais mes frères travaillaient du matin au soir. Moi j'attendais qu'ils reviennent, pour faire la fête. Ça a pas duré longtemps. Ils m'ont demandé de payer mon écot. J'ai fait l'épais. « Paie ton écho, cho, cho… o… o… o. Ça veut-tu dire qu'il faut que je paie quatre ou cinq fois, ça ? »

J'ai été le seul à trouver ça drôle. Toi, ma p'tite, aurais-tu trouvé ça drôle ? Il y avait Émilie qui était quelque part, puis personne, à commencer par moi, voulait qu'on se rencontre.

J'avais pas assez d'argent pour prendre le train, ça fait que je me suis mis sur le bord de la route puis je demandais au monde de me faire monter. J'ai fait de la charrette, du tracteur – tout un tape-cul, ça, madame –, du camion, de l'auto, puis j'ai marché en masse.

Je pensais que j'étais tombé dans le creux du baril quand je suis arrivé dans la paroisse de l'Enfant-Jésus, au cœur de la pointe aux Trembles. Heureusement que personne me connaissait, ma p'tite, parce qu'on m'a fait dormir sur le banc du quêteux. Peux-tu imaginer la réaction d'Émilie si elle avait su une chose pareille ? Le banc du quêteux. J'étais pas un quêteux, bagatême, je me cherchais du travail, mais la crise, même finie, avait fermé quasiment toutes les *shops*.

Je me suis retrouvé à Montréal. Moi, le gars de bois puis d'air rempli de chants d'oiseaux, je me suis retrouvé à Montréal, la fierté à peu près aussi haute qu'une chaîne de trottoir. J'ai essayé de travailler aux usines Angus, une des *shops* encore ouvertes.

« Lave-toi un peu puis coupe-toi les cheveux, qu'on voie qui on embauche. »

Oupalaille, ça m'a insulté, ça, ma p'tite. Je suis jamais revenu. Mais j'ai bien vu que j'étais dans les parages de la mercerie du Georges à Marie-Ange, ça fait que je suis allé les saluer. J'ai aimé ça, Hochelaga, puis, comme par hasard, Georges avait des clients qui lui devaient de l'argent. On est allés frapper à la porte des Gadbois puis Georges, en riant un peu fort à sa manière, leur a dit que, si sa mémoire était bonne, ils avaient une chambre de vide depuis que leur fille avait convolé. Tu savais pas, ça. J'ai voisiné Georges et Marie-Ange pendant un bon bout de temps. Presque tous les jours, je marchais de Pie-IX jusqu'au commerce. Il m'est même arrivé de jouer avec leur Aline, une belle petite grippette à faire rire un croque-mort.

Je sais que tu me vois venir. J'étais pas mal souvent à la taverne puis, le jour où j'ai déboulé l'escalier, madame Gadbois a demandé à Marie-Ange de me dire qu'elle pouvait plus me sentir. Bye, bye, Hochalaga.

Je me suis trouvé une chambre à la Old Brewery Mission. Le lit était correct. C'est juste que, partir tous les matins puis revenir tous les soirs, ça m'énervait. Je m'installais au coin d'une rue puis je bougeais pas. J'avais peur de rencontrer Blanche puis Clovis avec leurs petites. Tu te rends compte de la honte qu'ils auraient suée si ils m'avaient vu !

Il y a une couple d'années qui ont passé, je pense. J'avais un bon réseau de chums que j'ai rencontrés à la Mission ou à la Salvation. Puis un jour j'ai eu la chance d'avoir un lit à La Porte du Ciel, dans la rue Saint-Paul. Un lit à moi, vingt-quatre heures par jour. Ça tombait bien parce que ma santé, elle, allait mal. Mon foie a fait des folies, un petit cancer de la lèvre à cause de ma pipe aussi, ça fait que je suis rentré à l'hôpital Saint-Luc. On m'a demandé le nom de quelqu'un. Je savais les noms, mais pas les adresses. Peut-être que je les avais déjà sues, mais je m'en rappelais pas.

Ta mère était choquée contre moi. Elle aurait plus aimé que je sois à l'hôpital Notre-Dame, mais c'est pas là qu'on m'a placé. Elle était encore plus choquée quand je lui ai demandé si c'était pas possible de m'apporter un petit seize onces de n'importe quoi dans un sac de papier brun. Tellement choquée que j'ai pensé de jamais la revoir. C'est son Clovis qui m'apportait un petit De Kuyper ou un scotch. Ta mère s'est déchoquée.

« Le mal est fait », qu'elle m'a dit.

Oh que oui, le mal était fait tout autour de moi puis de ma vie. Ah… une fois, Clovis m'a donné un petit rhum. Sais-tu quoi ? Je pense que c'est la dernière bouteille de boisson que j'ai bue avant l'extrême-onction.

Le bon Dieu m'a peut-être pardonné, ce jour-là, mais pas moi. Jamais. Je suis mort dans la honte la plus noire du monde. J'ai juste eu la force de dire un mot avant de m'éteindre, un seul, en regardant ta mère : pardon.

Ovila Pronovost

Mai 1986

Chère Madame Cousture,

Quelle ne fut pas ma surprise de me voir personnage dans un de vos livres, un peu comme Pinocchio était apparu dans un texte de Carlo Collodi ! Comme moi, Pinocchio n'avait pas eu de parents, mais il a eu la chance d'être adopté par le bon Geppetto, son charpentier créateur. Étrange destin, s'il en est, puisqu'il était né pantin de bois. Vous m'avez cependant fait chair et laissé dans mes langes, si je puis m'exprimer ainsi. Avez-vous réfléchi une seconde à ce temps trop long vécu en orphelinat ? Croyez-vous qu'il m'aura été possible de n'en point porter les stigmates ? Tout fictif que je sois, vous m'avez donné une vie, un souffle et un cœur, et c'est bien parce que vous m'avez créé que je m'octroie le droit de vous en remercier tout en vous maudissant.

Eussiez-vous regardé de plus près la vie à laquelle vous m'avez destiné pendant plus de vingt ans que vous auriez vu un enfant hypersensible, confiné volontairement et sciemment à un recoin sous l'escalier d'une cave centenaire, dont la porte était retenue à une penture accrochée par un seul clou. Ce clou était rouillé, comme je l'étais, par manque de chaleur, humaine ou autre. J'accédais à mon royaume en marchant à quatre pattes. Les murs de pierre suintaient les années, mais c'est en ce lieu que je disparaissais, transportant une bougie ou un lumignon – quelle imprudence ! – pour décoder la langue dans les livres à partir de ce que j'entendais à la messe et au réfectoire. Dès que je fus d'âge à me confesser, je savais lire et écrire. Je n'avais pas dix ans, madame, que j'avais volé plus d'un livre dans les pupitres de ces locaux désuets qui faisaient office de classes, et plus d'une chandelle. J'avais faim d'apprendre pour me distinguer autrement que par ce strabisme dont vous m'avez affublé sans raison – vous auriez pu m'en épargner.

J'étais un enfant sage et taciturne. La parole ne convenait pas à mon jeune âge, pas plus qu'elle ne convint aux âges subséquents. Les âges devaient se taire au lever, au réfectoire, à la chapelle, dans le dortoir, durant la promenade, où on m'a tenu la main jusqu'à ce que j'aie six ans, après quoi ce fut à mon tour de prendre la main d'un plus jeune. Je préférais donc et de loin utiliser le temps ô combien minuté de la récréation pour disparaître et me glisser quasiment sous terre.

C'est en ce lieu que j'ai découvert les merveilles et les subtilités de notre chère langue française. J'ai cependant été avare de mon savoir tant et aussi longtemps que l'orphelinat fut mon toit. Durant ces années, je me suis interdit de corriger un mot mal prononcé, inadéquat ou, parfois, tout simplement barbare. J'aimais tellement ma langue, madame, que j'ai rapidement compris qu'elle serait la clef de ma survie.

J'aurais aimé que vous parliez de la solitude des orphelins. J'aurais payé cher pour lire les mots qui auraient dit la détresse ressentie par une toute petite âme qui voit des gens au sourire cassé et à la lèvre ourlée. C'était le lot de nous tous, les imparfaits. Lorsque les bonnes gens se présentaient les jours de marché – je vous jure qu'il en était ainsi –, il était évident que les religieuses plaçaient les beaux enfants devant les autres. J'espérais, pardon, je suppliais ardemment qu'une de ces bonnes personnes m'aperçoive et ne résiste pas au sourire que je m'accrochais sous le regard insistant. Jamais, pas une seule fois il n'y a eu une hésitation, tout juste un rictus gêné en me voyant. Devant moi, ils détournaient les yeux, qui vers le plancher, qui vers le plafond. Il m'était difficile, madame, de les voir fondre de tendresse devant la petite fille à mes côtés ou le garçonnet derrière moi. J'en ai été blessé dans ma chair ratée à l'œil et le serai toute ma vie. Pour cela, je ne peux faire autrement que de vous détester. Une phrase et vous m'avez précipité dans un enfer d'incompréhension et d'indifférence.

Un jour, je suis sorti de mon trou, devenu trop exigu certes, mais également inaccessible puisque le concierge avait compris, après que j'y eus vécu des heures de plaisir pendant près de quinze ans, qu'il manquait une vis à la penture de la porte. Disparue, ma caverne d'Ali Baba comblée de trésors. Disparu, mon caveau rempli tantôt de promesses, tantôt de quasi-frayeur lorsque la bougie se noyait dans sa cire.

Ce trou noir à la chandelle agonisante me donna le courage de quitter ce lieu. Le matin même de mes vingt et un ans, mes papiers remplis de cases vides ou noircies, je suis parti pour me heurter à ce monde que je n'avais jamais entendu, mais seulement deviné par les fenêtres des étages. Je ne sais comment vous décrire mes émotions. Vous l'auriez peut-être mieux réussi si seulement vous y aviez pensé.

L'aumônier n'a pu éviter de me saluer en me croisant par inadvertance dans le couloir où je me trouvais. La cuisinière est venue me serrer la main après avoir essuyé la sienne sur un tablier rayé tel un coutil. La titulaire de la classe que j'avais fréquentée s'en est abstenue et je lui en sus gré. Tout ce qu'elle nous avait enseigné aura été de savoir tromper le temps. Un scandale, ça, madame. Sauter par-dessus le temps si précieux sans nous montrer comment utiliser tout ce qu'il nous offrait. J'ai été content de ne pas la voir, le taciturne que j'étais aurait pu lui cracher son propos.

Ma valise pesait tout au plus une vie d'une durée de deux mois : deux sous-vêtements, trois avec celui que je portais, un pantalon trop court, deux paires de chaussettes, deux chemises aux cols ramollis, un pull de laine tricoté par des dames patronnesses de Montréal, rasoir et blaireau, savonnette, peigne, brosse à dents, et une paire de chaussures puisque j'avais enfilé des bottes pour me protéger de cette première et épaisse glace d'octobre.

J'ai franchi la porte tel un prisonnier reprenant sa liberté, alors que moi j'y goûtais pour la première fois. J'ai sursauté au claquement du portail et mes poumons se sont affaissés sous le poids de l'immensité de la ville que je sentais et entendais avant de la distinguer derrière la buée qui opacifiait mes verres. Je ressentais la panique de l'animal abandonné dans une jungle. On m'a appris les prières, mais personne n'a pensé qu'un jour je devrais lire un plan de ville. Alors j'ai prié ce Dieu qui m'avait abandonné aux mains des ans.

Vous ne pouvez imaginer, madame, la honte que je n'ai cessé d'éprouver. J'ignorais tout de la vie, sauf ce qui en avait été écrit dans les livres. Ma connaissance se limitait aux mots et à leur grammaire, aux mots et à leur existence. Mes mots furent d'abord simples et illustrés, train, bateau, caveau, dent – je pourrais, sans vantardise aucune, en réciter des milliers –, et me permirent ensuite de raconter le monde réel ou fictif ainsi que ces personnages qui l'habitaient, eux aussi réels ou fictifs : Daguerre ou Roméo, Molière ou Henri IV, Louis XIV ou Macbeth, Napoléon ou *Les Misérables.*

Perdu, les pieds dans le gravillon glacé et la tête nulle part, je suis entré dans un magasin et me suis acheté un chapeau melon, tout rond, ajusté aussi bien au front qu'à l'oreille. Je n'en ai jamais vraiment compris la raison si ce n'est que je l'ai trouvé joli en vitrine. J'ai ouvert la main et tendu l'argent qu'on m'avait remis même si je savais le compter, mais je voulais qu'on le fît pour moi. Ruiné avant d'avoir gagné un seul sou, je me suis permis de sonner à la porte d'un presbytère pour offrir mes services. Comment se fait-il que vous n'ayez pas soupçonné cette histoire ?

C'est grâce à ce curé à l'âme généreuse, contrairement à celle de l'aumônier de l'orphelinat, que j'ai reçu un enseignement digne de cette appellation. Pendant cinq ans, madame, il m'a enseigné tout ce qu'il savait. Il n'a pas lésiné en m'apprenant les rudiments du latin et du grec, et même quelques notions de théologie, que j'ai refusées compte tenu de mon parcours sans toile de fond. Je l'ai certes blessé, voire scandalisé, mais le cher homme m'a donné là une grande leçon de tolérance en respectant ce choix.

Je l'assistais à titre de sacristain et de servant d'autel. Il me payait en logement, en nourriture et en enseignement, me glissant parfois quelque liquidité pour m'éviter la gêne de devoir lui en réclamer lorsque je devais faire des achats de livres ou de vêtements. Puis, un jour de 1891, j'ai obtenu mon brevet de capacité, *summa cum laude* – cette annotation sans humilité est de mon cru, mais j'avais effectivement conservé des moyennes entre les quatre-vingt-quinze pour cent et le cent –, et j'en étais fier.

Au grand plaisir de mon maître-prêtre, je devins enseignant. J'étais parmi les plus vieux puisque mes collègues enseignaient déjà à vingt ans, tandis qu'à cet âge je croupissais encore dans ma caverne à apprendre les grands classiques. J'ai enseigné à Trois-Rivières, mais je dois vous avouer que j'aurais bien aimé me retrouver à la campagne. Les postes d'instituteurs ruraux étaient rarissimes, étant tacitement réservés aux jeunes filles célibataires âgées, pour la plupart, de seize à vingt ans. Inutile ici de disserter sur les mariages recherchés entre les inspecteurs et les institutrices.

Je quittai le presbytère – malgré les suppliques de mon bienfaiteur –, trouvai une chambre assez vaste pour contenir un petit lit, une grande table et une énorme bibliothèque. La fenêtre donnait à l'ouest et tous les soirs où le soleil acceptait de se montrer, je le regardais se coucher en le suppliant de me promettre qu'il serait au rendez-vous le lendemain dès l'aube. Est-ce le souvenir de mon petit caveau qui me hantait ou mes cauchemars d'enfant ? Je ne le saurai jamais, mais j'ai eu du mal à affronter la nuit pendant des années. Tous les soirs, je redoutais qu'elle fût mon ultime. Je m'usai les yeux à lire durant ces nuits de sentinelle. Le premier rayon du soleil m'apaisait et m'assoupissait. Vous avez négligé ce pan noir de mon histoire et c'est probablement heureux.

Vous m'avez fait naître en 1866 et je comprends que pour vous il était plus facile de me faire orphelin plutôt que d'avoir à m'inventer une généalogie. Mais moi, madame, j'aurais aimé savoir si mes parents auraient été fiers de ce que j'étais devenu : un binoclard instruit à ras bord, affecté d'un disgracieux strabisme.

Un jour, on me convoqua pour me demander si le poste d'inspecteur me tentait. Vous dire ma jubilation ! « Me tenter ? leur répondis-je. Mais il me tarde d'atteler pour découvrir ce monde pur et oxygéné. » Vous n'êtes pas sans savoir qu'il n'était pas dans la normalité d'accéder à ce poste avant d'avoir terminé cinq bonnes années d'enseignement. Je n'ai jamais su le fin mot de cette histoire, mais ma maturité et ma scolarité différentes de celles des autres ou, de façon plus pragmatique, l'influence de mon bon curé y sont certainement pour quelque chose.

Le diplôme encadré et suspendu au mur de ma chambre – quelle folie d'avoir acheté un cadre si enjolivé ! –, j'ai quitté la ville de Trois-Rivières un beau matin de septembre 1895 pour me diriger vers ces écoles de villages ou de campagnes. Jamais on ne m'aura affecté au séminaire ou à un collège privé, pas plus qu'à un couvent. Les religieux vivaient en autarcie. À moi donc, les trajets torrides ou pluvieux, trop froids ou impraticables. N'allez surtout pas croire que je m'en plains, *a contrario*, j'ai été heureux jusqu'à l'émoi d'aller rejoindre ces garçonnets et ces fillettes, enfants de cultivateurs, de voir à l'arrière des classes les bottes souillées de bouc ou de bouse. J'étais impressionné par leurs manteaux souvent taillés à même les manteaux de leurs aînés. Je ne pouvais m'empêcher de remarquer le talent de ces jeunes mères et grand-mères âgées de vingt à cinquante ans dans le tricot de tuques et de mitaines, d'écharpes et de capines, avec brins arrachés à des dizaines de pelotes aux couleurs de l'arc-en-ciel. Je vous remercie sincèrement, madame, de m'avoir inventé cette vie sans précédent d'inspecteur scolaire.

De même vous êtes-vous arrêtée sur ce jour de juin 1896 où mademoiselle Émilie Bordeleau est entrée de plein fouet dans ma vie. Jusqu'à mon dernier souffle je me suis demandé si ce jour fut heureux ou maudit. Je ne crois pas être le seul homme à avoir perdu tête, pieds ou tout à la fois devant sa beauté. Je suis demeuré bouche bée, tétanisé, pendant une éternité pour la trotteuse avant de réussir à proférer un son qui aurait ressemblé à un mot.

Vos lecteurs, madame, connaissent l'inspecteur que vous avez créé. J'en suis ravi pour vous, mais attristé pour moi. Il eût été bien que vous leur fassiez connaître les responsabilités qui nous incombaient. Vous m'avez fait exercer mon métier dans les petites écoles, mais vous avez négligé de dire qu'il m'incombait également d'expliquer la loi. Je vous éviterai d'emprunter toutes ces dédales, dont la guerre des Éteignoirs, mais il eût été généreux de les informer qu'on avait aboli le système seigneurial en Nouvelle-France pour instaurer le système municipal à peine douze ans avant ma naissance. Cette simple phrase me vieillit terriblement. Vous comprendrez, j'imagine, que votre Henri Douville a presque vécu sous un régime féodal tel qu'il en existait dans les vieux pays et leurs colonies depuis le Moyen Âge. À partir de cette loi, on a emprisonné des prêtres, et laissez-moi vous dire que certains inspecteurs ont quasiment été lynchés en tentant d'expliquer le pourquoi de la taxe foncière ainsi que le comment de cette nouvelle taxe mensuelle pour les écoliers.

Je me suis bien amusé avec les mots *imbécillité* et *épousailles*, mais tout cabotin que je fus, je devais discrètement noter les capacités de damoiselle Bordeleau à faire régner dans sa classe le silence, l'ordre et à veiller à ce que les élèves aient étudié. Il était de mise, également, que l'institutrice inculque des principes de politesse, de civisme et de savoir-vivre. Peut-être que certains de ces jeunes allaient quitter le monde rustre des paysans pour rejoindre un monde différent, qui pour l'enseignement ou la prêtrise, qui pour le notariat ou la médecine. Je suis la preuve vivante que de tels appels peuvent être entendus. J'ai cependant failli à ma tâche en survolant avec trop de mollesse, j'en conviens, les enseignements religieux. J'aurais battu là coulpe si je n'avais eu le sentiment qu'elle m'en avait su gré. Nulle mention n'aura été inscrite dans mon rapport au département de l'Instruction publique.

Donc, comme la femme de Loth, j'ai été tourné en statue de sel devant Émilie Bordeleau. Revenu à mes esprits, je l'ai trop ignorée à mon souhait, mais de ce jour elle m'est entrée dans le corps par la totalité de ses pores, comme une rosée se pose sur toutes les brindilles des vallons de la Mauricie. J'espère, madame, que vous ne trouvez pas mon style trop précieux ou pédant – à vous de choisir –, mais vous comprendrez mon malaise à vous écrire cette missive puisque vous êtes mon créateur.

Entre mademoiselle Bordeleau et moi-même s'est installée subrepticement une complicité amicale, ainsi l'aviez-vous souhaité. Mais pour moi, madame, cette apparition fut miraculeuse. Le petit prisonnier d'orphelinat venait, ô combien tardivement, j'en conviens, de découvrir le grand frisson inexplicable. Compte tenu de mon inexpérience de ces choses-là, je ne saurais le décrire autrement que par la présence d'une stalactite glissant le long de mon échine. De ce jour, pas une seule heure ne s'est fait entendre au carillon sans que je murmure son nom.

Derechef, je n'ai cessé d'inventer des stratagèmes pour la revoir, quitte à fatiguer ma monture par un détour. Le meilleur stratagème aura été de m'élancer ces jours de ciel menaçant. J'avoue avoir attendu que le ciel tonne et éclaire pour me présenter mouillé et désolé. Je crois que mon autonomie par rapport à votre imagination vous a échappé plus d'une fois, madame, et j'en ai toujours été fort aise. Ainsi, un de ces après-midi d'été pluvieux, j'étais allé me balader aux environs du lac aux Sables dans l'espoir de voir apparaître un orage. J'avais avec moi tout un goûter, bien protégé sous la galette de mon siège. Le ciel s'est tant déchaîné, madame, que, ma foi, j'aurais presque pu être emporté avec le goûter, la bête et peut-être même mon âme. C'est donc vraiment ébranlé qu'à l'insu de tous j'ai frappé à la porte de l'école, *Deo gratias*. Elle a répondu et j'ai eu droit à toute cette politesse féminine – je n'ose dire maternelle puisqu'elle m'est étrangère. «Ohhh, monsieur l'inspecteur Douville, mais... entrez, entrez, mais entrez donc, pauvre homme...»

Je me suis laissé couler dans ce bain d'égards même si j'aurais de beaucoup préféré entendre : «Mais entrez, mon bon ami» ou «Henri» ou «mon cher» ou, pourquoi pas, «mon amour».

Ce jour-là, madame, j'ai inventé l'existence d'une soupirante que pluie et mauvais temps m'avaient empêché de rejoindre au lac aux Sables. Je me suis rapidement séché le visage et les cheveux, et j'ai demandé à Émilie si elle aurait objection à partager ce pique-nique préparé pour «ma pauvre dame qui était probablement aussi trempée que moi et à qui le mauvais temps m'avait contraint à faire faux bond». Elle m'a répondu que non et nous avons mangé en tête à tête et parlé… en tête à tête, et elle m'a écouté lui raconter ce voyage que je rêvais de faire un jour dans les vieux pays. Je pouvais voir l'intelligence vive qu'il y avait en cette femme et, n'eût été quelques expressions de son parler local et notre accent, nous aurions pu être assis face à face au Café de la Paix, à Paris, tout à côté de l'Opéra Garnier.

Je vous sais gré, madame, d'avoir inventé mon immense amour pour la mère patrie. J'ai passé des heures et des heures, pour ne pas dire des années, dans les livres que cette mère – la seule que j'aie eue – m'a fait découvrir. Vous m'avez permis cette folle passion et je devine qu'elle doit ressembler à un de vos points d'intérêt. Mais là n'est pas mon propos. Émilie, née ailleurs que dans notre Québec profond, aurait certainement été autre. Je n'ai jamais osé la questionner, craignant qu'elle ressente chez moi la portée d'un jugement ou l'expression d'une insatisfaction. Mais il me brûlait les lèvres de le lui demander. J'étais capable de l'imaginer étudiante à la Sorbonne, adepte de ce Freud et de ses recherches sur les rêves ou l'hystérie des femmes. Je ne suis pas certain qu'elle aurait été parfaitement d'accord avec ces théories, mais quand même, elle a toujours fait preuve de curiosité intellectuelle. D'autres fois, madame, je l'imaginais professeur là où les femmes n'osaient ou ne pouvaient aller, justement. Émilie Bordeleau aurait eu le courage de ses convictions et de ses connaissances, j'en suis persuadé. Vous n'avez jamais pensé la faire naître un peu plus tard pour qu'elle puisse s'épanouir par la connaissance? Au hasard, j'aurais choisi 1950. Elle aurait pu tout faire, madame, évitant d'être condamnée au joug religieux et à toutes ces maternités. Elle aurait été diplômée tandis que moi, madame, j'aurais quand même pu être inspecteur d'école jusqu'en 1964 et retourner à l'enseignement.

Il est clair que vous auriez été forcée de lui trouver de nouvelles amours. Son Ovila n'aurait peut-être pas été de ce monde. Je pense sincèrement, madame, que vous auriez pu lui faire une vie, me faire une vie, nous inventer une vie tout autre avec moins de souffrance. La récurrence du mot *souffrance* dans mon propos à la relecture me poignarde, mais celle qui me mortifie aura été la souffrance infligée, volontairement ou non, par ma belle damoiselle.

Donc, pendant un peu plus de trois ans, nous nous sommes vus près de six fois par année. Si mon travail ne m'appelait, je profitais d'une trotte aux environs du Bourdais pour lui porter des livres. Elle en était si émue qu'on eût dit qu'elle me voyait comme un saint Stanislas, et moi j'en avais les larmes aux yeux, sans mentir, touché par le tremblement de ses mains lorsqu'elle ouvrait une page, la respirait et la caressait. Avais-je apporté dix livres, les gestes se répétaient dix fois.

Puis le temps que vous nous aviez alloué fit son œuvre, madame. Je tombai tête baissée dans le sentiment amoureux et je crus qu'elle m'y avait suivi. Pendant un an, j'avais une douce qui m'écrivait à l'occasion et je me permettais de lui expédier des poèmes. Tous ces mots, appris durant mon enfance, avaient changé de sens sous l'éclairage de mon sentiment. La fleur devenait pétale, pistil et parfum. L'iris, miroir et reflet. Et le mot «vous» osait basculer vers le « nous». Ah, l'amour incommensurable que je ressentais pour cette dame. Je rêvais des enfants que nous aurions et j'en pleurais tant ils auraient été beaux, à son image. Du matin au soir, mes idées étaient noyées dans ma pensée, et dans ma pensée il n'y avait qu'Émilie Bordeleau.

Antoinette arriva dans sa vie et, par ricochet, dans la mienne. Il eût été de mauvais goût que je les eusse comparées. Je me contenterai de vous dire que vous les avez voulues différentes et elles l'ont été. Je me limiterai à préciser que l'âme d'Émilie était sculptée, celle d'Antoinette était tout d'un bloc. Voilà. Deux belles dames, liées par une amitié réelle. Émilie était une amoureuse, Antoinette, une charmeuse. Pardonnez-moi cette seconde comparaison. Avant que la souffrance – encore – déboule, j'ai été le temps d'une rose, d'un vase ou d'un camée le fiancé le plus heureux de la terre. Était-ce nécessaire, madame, qu'elle me dise oui pour me reléguer aux oubliettes durant les mois qui ont suivi ? Avez-vous mesuré les conséquences qu'aurait ce retour d'Ovila ? Que ne l'avez-vous laissé dans ses chantiers et son ivresse ! Vous avez mortellement blessé Émilie et vous avez tué l'âme de votre inspecteur. J'ose penser, madame, que c'était parce que nous étions le fruit de votre première création. Est-ce dans la norme romanesque de faire souffrir ses personnages ? Je sais, je sais, vous allez répondre oui et vous aurez raison. Ils souffrent tous, Roméo et Juliette, tous ces personnages que j'ai énumérés au début de cette missive. Que ne suis-je demeuré dans le néant...

Après ce pastiche de fiançailles, cette victoire éclatante et innocente d'Ovila, cet abandon d'Émilie sur le seuil même de son malheur éternel, et sous le regard d'Antoinette soudainement tourné vers moi, j'ai presque cessé d'être, et dans vos pages et dans mon existence propre.

Puisque j'étais incapable de me résigner à ne plus la voir en dehors de ces heures de travail, vous m'avez permis d'épouser Antoinette, nous laissant cois dans cette vie parallèle. Nous savons tous, vous, moi et vos lecteurs, que je ne l'ai jamais aimée. Sachez que j'ai quand même été un bon mari. Pour elle, j'ai joué l'amour en gestes et en paroles. Je lui tenais le bras lorsque nous nous promenions, je lui ai toujours ouvert la porte, l'ai laissée me précéder, je lui donnais un baiser en me couchant et au réveil et, j'ose à peine vous l'avouer, j'ai pris l'habitude de me coucher plus tôt qu'elle pour réchauffer son côté de lit avant qu'elle s'y glisse. Mais jamais je ne l'ai honorée. Tous ces gestes ont été exécutés pour une personne imaginaire avec laquelle je vivais, grande, cheveux et yeux noisette.

Antoinette et moi n'avons évidemment pas eu d'enfants. On m'a dit que beaucoup de femmes craignaient le sexe dans son expression virile et je crois qu'Antoinette ne faisait pas partie de cette cohorte. Alors j'ai menti quant à mon désir, lui expliquant que l'isolement et le manque d'amour que j'avais vécus dans mon enfance en étaient probablement responsables.

« Tu veux me dire, Henri, que jamais nous ne... jamais ? »

J'ai hoché la tête, je l'ai étreinte et lui ai demandé d'être patiente. Elle m'a donné un coup de dague, la pauvre, en me demandant si Émilie m'aurait fait le même effet. Mon pantalon me contredisant, j'ai répondu que cela, également, nous ne le saurions jamais.

« Je t'aime, Henri.

— Comme tu es charmante, ma mie. »

J'ai passé une vie en douceur à ses côtés, sans l'ombre d'un amour. Mon cœur, oreillettes et ventricules, serait toujours occupé par Émilie. Lorsque Antoinette était assoupie, je me collais contre elle pour sentir le filet de son souffle sur ma nuque. Ce jet de chaleur donnait forme à mes rêves et je leur permettais d'occuper mon corps.

Antoinette et moi, nous nous faisions un plaisir d'arrêter chez Émilie malgré le fait que sa famille ne cessât de s'agrandir. Jamais nous n'en parlions, mais Antoinette et moi voyions le malheur aux commissures de ses yeux et de sa bouche. Je faisais des efforts magistraux pour ne rien laisser paraître de mon chagrin et de mon désespoir. Un jour, nous avons reçu une lettre adressée à ses « bien chers amis » dans laquelle elle nous indiquait sa nouvelle adresse de Shawinigan. Même si cette ville était plus près de Trois-Rivières, nous avons espacé nos visites. Avions-nous pressenti la fin de ses espoirs de bonheur ? Probablement. Nous avons donc presque mis fin à nos relations. Une autre lettre, quelques années plus tard, nous annonça qu'elle était de retour à Saint-Tite. Je me suis permis de lui écrire en lui demandant de me répondre au bureau, ce qu'elle fit. Ces lettres soufflèrent sur les tisons de ma flamme et je me suis offert des amours en fantasmagorie. Je repris vie en imaginant que c'était elle qui m'avait allumé.

Antoinette fut agressée sans préavis par une maladie qui me la ravit en moins de deux mois. Je ne quittais pas son chevet dès que le travail me ramenait à la maison, à Trois-Rivières. Vers la fin de son agonie, j'informai mes patrons que je m'absenterais pour ne plus m'en éloigner. Jour et nuit je lui tins la main et lui passai un linge humide sur le visage pour la rafraîchir. Chère Antoinette. Lorsque ses doigts sont devenus flasques et m'ont glissé des mains, j'ai compris qu'elle était partie. J'ai vu la mort lui appliquer son masque cireux, ses bras et ses jambes se raidir. À ce moment-là, madame, je me suis demandé si ce n'était pas le dernier geste de résistance du corps avant l'abandon final. Antoinette aura quand même été, de mémoire, la seule et unique personne qui m'ait aimé ! J'ai eu un chagrin incommensurable, au-delà de ce que j'avais pu entrevoir.

Émilie n'a pu venir l'embrasser une dernière fois. Quant à moi, en toute sincérité, je le fis comme jamais je ne l'avais fait du temps de notre mariage, qui mourut ce jour-là. Je crois, madame, lui avoir exprimé ma reconnaissance.

J'aurais aimé que vos lecteurs sachent que j'avais été un bon mari pour Antoinette. J'aurais également aimé que vous me donniez un peu plus d'apparitions dans vos écrits après sa mort. Je vais passer outre à mon remariage, le brassard noir non encore décoloré. Une folie, je l'avoue, mais je n'ai pu résister à l'envie d'étreindre cette serveuse de chez Murray's, véritable sosie ou jumelle identique, à vous de me le dire, d'Émilie.

Pour quelles raisons suis-je devenu un personnage intermittent et plus que secondaire alors que j'étais la seule personne qui aurait pu consoler, voire encourager Émilie lorsqu'elle était confinée avec ses plus jeunes dans une petite école que je ne visitais pas ? Le bon curé Grenier, respecté de tous, a réussi à lui trouver ce poste d'institutrice, enfreignant le règlement du département de l'Instruction interdisant l'enseignement aux femmes mariées. Je ne pouvais croire que le brave homme avait été contraint de dire qu'elle n'était pas une femme mariée puisque son mari habitait en Abitibi et elle en Mauricie ! Le curé Grenier en équilibre sur un syllogisme ! Un autre de vos personnages, madame, à cheval sur une fiction à peine crédible. Je vous ai quand même trouvée dénuée d'imagination en donnant un poste important à cet élève, Joachim Crête, que le curé a certainement supplié d'embaucher Émilie et, de ce fait, de pardonner au passé. Combien le curé a payé ou offert en compensation, nous ne le saurons jamais. Je sais, madame, que vous avez été avare de portes ouvertes et jamais refermées qui laissent le lecteur inassouvi. Mais jamais vos lecteurs n'auront connu les tours de passe-passe pour qu'Émilie remonte sur la tribune, devant l'ardoise. Nous voyons ici une faiblesse de vos écrits, madame.

Puis un jour, je reçus une lettre d'une des filles d'Émilie, Blanche. Je crois, d'ailleurs, qu'il s'agit de votre mère. Elle m'informait qu'elle avait terminé son cours d'infirmière à l'hôpital Notre-Dame de Montréal. Émilie lui avait écrit que je vivais maintenant dans cette ville également, aussi se fit-elle un point d'honneur d'entrer en contact avec moi, ne fût-ce que pour faire oublier le silence de ses années d'études. Elle m'annonça que, justement, elle quittait Montréal pour œuvrer en Abitibi et me donna la date de son départ. J'en fus tout émoustillé. Peut-être m'indiquerait-elle s'il était pensable que je revoie Émilie? Mon vieil âge s'effaça instantanément et je lui répondis aussitôt qu'il me ferait le plus grand des plaisirs de l'inviter à se joindre à moi dans la salle à manger de l'hôtel Ritz-Carlton.

Nous nous y sommes rencontrés et, la voyant approcher, je me levai presque au garde-à-vous en son honneur et en celui de sa mère. Sitôt assise, elle prit sa serviette de table pour y pleurer, hoquetant sous une cascade de larmes. Mon sourire se fit aussitôt grimace et j'attendis, les mains posées sous le menton, qu'elle m'expliquât, si elle le souhaitait. J'avais moi-même le cœur noyé devant de telles retrouvailles. Je n'ai pas souvenir d'avoir lu ou vu une telle scène au théâtre, un personnage qui entre en scène et éclate en sanglots. Blanche sécha peu à peu ses larmes et le discret serveur s'approcha alors de la table, versa de l'eau dans nos verres et posa un menu devant chacun de nous. Blanche, pour mon grand bonheur, connaissait tout de la politesse et attendit que je choisisse pour prendre quelque chose de semblable. Seul mon menu indiquait les prix. Elle s'excusa de cet éclat de tristesse, me confiant qu'une des dernières fois qu'elle était venue là avait été avec son amie Marie-Louise. Elle eut toutes les difficultés à me parler de cette dernière et de sa mort ridicule. Ce genre d'accident me conforte toujours quant à ma réflexion qu'un Dieu ne pourrait tuer ses enfants ni sous un tramway, ni sous des bombes, ni sous une tentative de survie par un don de sang. Un Dieu ne saurait tuer ses enfants d'aucune façon autre que l'étiolement de la vie. Blanche ne cessait de me répéter que c'était elle qui, tentant l'ultime en lui offrant son sang, lui avait donné le coup de grâce. Sa lèvre inférieure tremblota sous l'effort qu'elle faisait de retenir ses larmes. Je lui tapotai la main en disant «Chuuuut, mais non, mais non, mon petit» avant de détourner le regard pour ne pas surcharger son malaise et son chagrin.

Nous réussîmes enfin à manger, à discuter et à sourire, elle en pensant à son avenir, moi à mon passé. Nous nous quittâmes sur une promesse, que nous nous reverrions pour qu'elle m'embrasse avant son départ. Elle vint donc me voir à la maison, véritable puce qui ne tenait plus en place. Son propos d'abord sibyllin me révéla finalement que sa mère devait l'accompagner à la gare centrale. Le choc fut si grand que j'en oubliai presque de lui remettre la trousse de médecin que je lui offrais.

Émilie était là avec sa fille, regard à la fois fier et soucieux. Je demeurai tapi derrière un chariot porte-bagages. Elles se firent une accolade rapide et Blanche monta l'escalier, la main soutenue par celle du *porter*. Émilie la chercha derrière les fenêtres du wagon, se planta devant celle derrière laquelle Blanche venait de s'asseoir et ne bougea plus jusqu'à ce que le conducteur siffle et que le train s'arc-boute en chuintant pour prendre son élan. Émilie marcha durant quelques instants aux côtés du wagon. Plus elle avançait, plus je la voyais se voûter. Elle demeura seule sur le quai pendant deux bonnes minutes. Je la vis se taper les cuisses et remonter son chapeau. Elle venait d'enfiler son courage comme je l'avais vue faire tant de fois.

Je m'approchai derrière elle pour lui dire que le moment était venu d'enfin devenir des amants. Que la vie venait de nous ouvrir une brèche. Elle sursauta, s'arrêta et baissa la tête. Je compris qu'elle était à l'écoute. Je lui dis l'amour que je n'avais cessé de lui porter à travers toutes ces décennies, depuis cette rupture qui m'avait fait craquer à toutes les coutures de ma vie. Je lui répétai combien celle qui s'offrait à nous serait plus facile si nous partagions nos journées à l'affût du plaisir, celui des concerts, des expositions, du théâtre et des voyages que cette fois nous pouvions nous offrir, Paris, la tour Eiffel, le Café de la Paix, le métro et la rue Daguerre dont je lui avais déjà parlé. Nous pouvions peut-être aller à Varsovie, entendre des concerts de Chopin, ou à Londres, voir le palais de Westminster auquel le roi Édouard VIII avait renoncé, par amour pour Wallis Simpson. L'amour nous était possible. J'aurais voulu terminer par une supplique et poser un genou par terre pour lui souffler sur le doigt où j'aurais tant voulu glisser une alliance. Elle se retourna et me fit face. Je vis un trop-plein de larmes. Était-ce le départ de sa fille, mon propos ou les deux, qui firent qu'elle sortit un mouchoir – je crus m'évanouir en reconnaissant le mouchoir finement brodé que je lui avais offert il y avait près de quarante ans. Elle me reprocha mon dithyrambe. Il est vrai que j'étais marié, mais je lui avais demandé que nous soyons amants. Elle me dit alors, madame, que c'est moi qu'elle aurait épousé si seulement elle avait pu m'aimer comme elle n'avait cessé de tutoyer la passion toute sa vie avec Ovila. Nos destins s'étaient rejoints dans la déception. Il est vrai qu'elle avait dit ne pas avoir de talent pour « ces choses ».

Elle est repartie vers la gare, sans se retourner, disparue dans les volutes des quais.

J'aurais aimé, madame, que vous disiez combien je n'ai pu survivre à ce dernier rejet. J'avais tout pour lui plaire, sauf le physique, j'imagine. Peut-être même pas. Que doit penser un homme devant ce sempiternel refus ? Il n'en tenait qu'à vous, madame, de me donner une chance. Non, jamais de chance pour ce personnage de Henri Douville, rond-de-cuir, pousse-crayon, gratte-papier. Voilà ce que vous avez décrété. Vous avez préféré écrire l'amour conflictuel, plus intéressant pour le lecteur que l'amour-fleuve. Merde à vous, madame.

En pleine guerre, vous m'avez fait passer l'arme à gauche. Je n'aurai jamais eu à pleurer sa mort. Je vous en sais gré.

Henri Douville

AJM[1]

Un vendredi d'avril 1986

Chère mademoiselle Cousture,

Je m'appelle Charlotte, et c'est moi la petite Char-lotte de mademoiselle Bordeleau. Moi je sais qu'on était même des amies. J'étais en deuxième année l'année que mademoiselle Bordeleau est arrivée. Cette année-là, j'ai appris un peu trop d'affaires au goût de ma mère qui les savait même pas toutes. Les prières, l'heure, les chiffres, les mois, l'épellation, la grammaire, l'histoire et la géographie. En plus, mademoiselle Bordeleau nous enseignait la politesse partout.

Exemples.

Quand je suis polie avec monsieur le curé, je dis_____.

Même si je sais que vous connaissez les réponses, j'écris les miennes parce que j'ai eu cent pour cent.

« Bonjour, monsieur le curé (faire une petite révérence), vous allez bien, j'espère. Quand

---

1. À Jésus par Marie.

77

viendrez-vous nous visiter? Mon école, c'est l'école du Bourdais. Au revoir et merci, monsieur le curé, et à bientôt, j'espère.» Ne pas oublier de faire un signe de croix s'il décide de nous bénir.

Quand je suis polie au magasin, je dis _____.

«Bonjour, monsieur ou madame, je voudrais, s'il vous plaît, acheter... (dire clairement ce qu'on souhaite)... Oui, ce sera tout, monsieur ou madame (dire le nom de famille, exemple madame Trudel), merci.»

Quand je suis polie en achetant un billet de train à la gare, je dis _____.

«Bonjour, monsieur. Je voudrais un billet aller et retour (aller, s'il n'y a pas de retour) pour... (nommer la ville, exemples Trois-Rivières, Québec, Montréal). Non, je ne vais pas le perdre. Merci, monsieur.»

Quand je suis polie avec ma mère, je dis _____.

«Maman, je te remercie. Le repas était très bon.»

Ça, c'est presque de l'impolitesse parce que ma mère a jamais fait à manger aussi bien que mademoiselle Bordeleau. Je devais faire des gros yeux et donner des coups de coude à mes petits frères puis à mes petites sœurs pour qu'ils finissent leur assiette et disent: «Merci, maman.» Des fois, notre assiette était pas assez pleine. C'étaient des drôles de fois. Bon, pas bon, on en aurait pris plus.

Mais il fallait dire : « Merci, maman, non, maman, je n'ai plus faim. » Ça, c'était difficile parce que c'était comme un mensonge. C'était injuste aussi parce que mes frères et mes sœurs dînaient jamais à l'école, comme moi. Mademoiselle Bordeleau pouvait pas nourrir toute la famille. Déjà que si les commissaires avaient su qu'on était quelques-uns le midi, hou là là, je crois qu'elle aurait eu la correction.

Je disais que maman remplissait pas toujours les assiettes. C'était pas de sa faute. C'était la faute du soleil, de la pluie, de la récolte, du caveau ou de la longueur de l'hiver. En tout cas, mademoiselle Bordeleau me disait que c'était souvent comme ça chez elle quand elle était petite.

Mademoiselle Bordeleau nous enseignait la géographie et l'histoire, comme ce n'était pas écrit dans les livres. Je pense que toute la classe aimait ça. Je vous donne un exemple.

Ce matin, Léa s'est levée à Saint-Tite-de-Champlain au Québec et a mangé du gruau. Lili de Paris, elle, prenait déjà son dîner parce que la terre avait avancé toute seule en tournant sur elle-même. On appelle ça la rotation.

Est-ce que mon explication est claire, mademoiselle Couture ? J'ai déjà commencé à me pratiquer à être une maîtresse d'école. Il faut me le dire si vous comprenez pas. Mademoiselle

Bordeleau, elle, savait nous occuper l'esprit du matin au soir avec des exemples faciles dans toutes les matières.

Ça fait longtemps que j'ai besoin d'occuper mon esprit, moi. Si j'ai pas de pensées dans la tête, mon corps me fait peur. Je sais que vous savez que j'ai un corps malade, c'est vous qui l'avez inventé. C'est mes reins, mes rognons, qui ont commencé à me faire des misères en deuxième, l'année de l'arrivée de mademoiselle Bordeleau. J'ai trouvé ça difficile que vous me fassiez faire pipi direct dans la classe, quasiment devant tout le monde. Aviez-vous réfléchi avant d'écrire ? Il y avait des garçons dans la classe, mademoiselle Cousture. Les filles font jamais pipi devant les garçons. Ça se fait pas, un point, c'est tout. Heureusement que personne m'a vue faire. Il y a juste la grande trappe de Joachim Crête qui s'en est rendu compte. J'ai pas eu le temps de me placer ailleurs pour que personne sache qui était l'élève qui s'était échappé comme ça. Tous les vendredis, quand on faisait le ménage, on disait qu'on était contents que Joachim Crête soit plus jamais revenu parce que bla, bla, bla. Si je sortais de la classe pour aller au petit coin, il y avait toujours quelqu'un que j'entendais chuchoter « Une chance qu'elle sort parce que bla, bla bla… ». Jusqu'à mon dernier vendredi d'école, mais là, je savais pas, moi, que c'était mon dernier, j'entendais dire : « Elle a plus jamais fait pipi dans ses culottes. Ça lui a donné une bonne leçon puis à mademoiselle Bordeleau aussi et bla, bla, bla. »

Quand j'ai eu douze ans, au mois de mai dernier, je suis chanceuse, moi, j'ai ma fête pendant le mois de Marie, on aurait dit que la Sainte Vierge m'avait appelée parce qu'elle était tannée de m'attendre et que ce serait une bonne chose que j'arrive au plus sacrant au paradis. J'espère, mademoiselle Cousture, que vous pensez maintenant que c'est une mauvaise idée de tuer un enfant, même dans un livre. Je voudrais pas être méchante, mais je me demandais si ça vous avait fait de la peine de me voir mourir. Est-ce que ça se pourrait que c'était moi votre première morte ? En tout cas, moi, ça a été ma première et ma dernière mort parce que je suis jamais revenue dans un autre livre. Avec tous les autres malades comme Ovide et Lazare ou les morts comme le curé Grenier, Télesphore et le bébé de madame Pronovost, est-ce que c'était vraiment nécessaire de me faire disparaître ? J'avais tellement d'idées, moi, mademoiselle Cousture, comme enseigner dans une école de rang et écrire un livre comme madame Laure Conan qui avait imprimé son histoire inventée, *Angéline de Montbrun*, que monsieur Douville avait donné à mademoiselle Bordeleau.

Non, rien de ma vie manquée était nécessaire. Je suis morte en septembre 1901, à douze ans, et j'avais évidemment été baptisée et fait ma première communion. Une chance. Ça m'a empêchée de passer mon temps dans les limbes gris, sans la lumière éclatante du bon Dieu. Ça a aussi évité que mon éternité soit plus une punition qu'une récompense. Ça, y aviez-vous pensé ? C'est fait, c'est fait, je peux pas ressusciter.

Je suis morte à douze ans sans avoir eu d'enfant. J'ai pensé à ça, moi, avoir une vie vide. Si vous m'aviez tuée à vingt-cinq ans, par exemple, j'aurais été mariée et j'aurais déjà eu des enfants. Le curé nous dit que c'est une garantie de plus d'avoir une vie éternelle quand on a des enfants. Non, moi j'ai juste eu une petite vie éternelle de rien du tout.

Quand on meurt jeune, à part les prières qu'on sait dire, on n'a pas d'idée de ce que c'est une éternité. Moi quand j'attends plus qu'une demi-heure, je suis déjà tannée. Personne peut me dire s'il y aura des choses à faire pendant l'éternité. Ça peut quand même pas être une salle d'attente ou une église où on prie en silence, où on essaie de pas tousser, où on veut pas faire une crise de petit mal ou s'évanouir. L'éternité peut pas être comme ça, c'est certain. Le problème, c'est que personne est revenu de l'éternité pour nous le dire. C'est peut-être la seule chose que le bon Dieu a oublié d'écrire dans la Bible, après les sept jours de sa Création.

J'ai pensé à ça tout le temps pendant presque six ans. Moi, j'ai décidé que l'éternité c'était la plus belle chose du monde et que je m'y rendrais en escaladant un arc-en-ciel pour passer par toutes ses couleurs de la terre.

En Mauricie, des fois, on voit des aurores boréales. En tout cas, moi j'en ai vu une et ça m'a presque fait peur. Au début, je pensais que c'était le diable qui avait ouvert les portes de l'enfer. On voyait la lumière gigoter comme le feu puis se promener dans le ciel. Là je me suis dit que ça pouvait pas être l'enfer parce que c'était bleu et vert. J'ai compris que les aurores boréales c'était le ciel qui ouvrait ses portes pour nous montrer combien c'était beau. Peut-être que j'aurais pu sauter dans une aurore boréale et tomber dans le paradis, mais c'est trop difficile à rejoindre. Non, je vais monter sur l'arc-en-ciel. Je serai déjà à moitié arrivée. C'est en ciel.

Le jour de ma mort, je vais fermer les yeux aussitôt que le curé m'aura bien graissé le corps avec ses huiles. J'espère qu'elles sentiront bon. Quand je vais laisser le tout petit souffle de rien du tout en souvenir de moi sur la terre, je vais partir avec lui. C'est sur ce souffle-là que je vais me rendre jusqu'à l'éternité.

J'imagine que passer à travers un arc-en-ciel ça va être comme tourner dans un kaléidoscope. J'ai pensé à tout ce qui m'attend et je vois pas d'autre manière de me rendre dans l'éternité. Ça peut pas être l'éternité qui m'aspire dans elle. Ça me ferait mal. Ça peut pas être le diable qui me donne un coup de pied au derrière parce que j'irais pas chez lui. Ça peut pas être tous les saints du ciel qui viennent m'accueillir, parce qu'ils m'ont jamais connue.

Je pense que la vie va me laisser à moi-même et c'est pour ça qu'il faut que je me prépare. Mademoiselle Bordeleau, si elle avait su que c'était à ça que je pensais tout le temps depuis tout le temps, aurait dit : « Charlotte, prépare-toi à toute éventualité. » En tout cas, c'est ce qu'elle me répétait quand elle disait d'apporter une paire de culottes au cas où il y aurait un petit accident. Elle cachait mes culottes dans sa chambre. Elle me disait aussi qu'il fallait toujours avoir un mouchoir dans ma poche au cas où j'éternuerais, que je saignerais du nez ou m'écorcherais un genou. Moi, j'en ai toujours eu deux au cas où je ferais pipi en éternuant, ou que je pleurerais en m'écorchant un genou.

Quand j'ai été bien huilée, le curé m'a fait un dessin sur le front. Mes yeux se sont fermés tout seuls et j'ai juste eu le temps de voir des larmes sur le visage de mademoiselle Bordeleau, mais j'ai pas eu le temps de l'appeler madame Pronovost. Elle était venue, mon amie, avec son Ovila. Je lui ai pris la main pour la rassurer en pensant que c'était dommage qu'elle puisse pas s'en aller avec moi. Je pense que ça lui a fait du bien. J'ai finalement senti mon dernier souffle, tout doux. Je l'ai enfourché et c'est sur lui que je suis partie.

Je me suis frappée dans le violet d'un monseigneur. J'ai fait comme une génuflexion, j'ai embrassé sa bague et je lui ai dit que j'avais plus besoin de lui parce que le prêtre m'avait déjà donné l'extrême-onction. Le monseigneur est disparu en chantant l'air de l'orgue qui venait de commencer à jouer. Ces notes de l'orgue se sont changées en belles petites violettes comme on en voit dans les champs, au mois d'août. J'ai continué à tourner dans le violet très lentement. Le ciel était couvert d'étoiles, belles comme les améthystes de Télesphore. Je me disais que s'il y avait eu un arrêt ici, je me serais bien reposée. Je manquais un peu de souffle.

Je pense que je me suis endormie parce que, quand je me suis réveillée, je voyais le rouge et le bleu de l'indigo. Je glissais sur un pan de tissu qui ressemblait à un taffetas. Saviez-vous, mademoiselle Cousture, que le taffetas était mon tissu préféré ? Une fois, dans une fête paroissiale, il y a madame Gélinas qui avait une robe en taffetas qui faisait des reflets des fois rouges, des fois bleus. C'était tellement beau que je l'ai suivie des yeux toute la soirée et j'ai failli lui toucher. Ça aurait été impoli. Je me suis finalement décidée. Je lui ai fait un grand sourire et lui ai demandé si je pouvais toucher à sa robe. Madame Gélinas m'a regardé les mains pour s'assurer qu'elles étaient bien propres et elle a dit oui. Moi je pense que son taffetas, c'était frais comme l'eau du ruisseau habillé des couleurs de l'automne qui glissent sur le bleu de l'eau.

Dans mon cercueil, est-ce que j'avais une belle robe de taffetas ? Je vous le demande parce que vous, vous pouvez inventer. Si j'avais su que vous m'inventiez, je vous l'aurais demandé parce que c'est sûr et certain que jamais mes parents auraient eu assez d'argent pour m'acheter une robe puis l'enterrer avec moi. Je pense pas que mes sœurs auraient voulu la porter non plus parce que la robe aurait toujours senti moi. Puis on fait jamais de torchons avec une robe neuve. Pas question non plus de la gaspiller.

Une chose que je saurai jamais, c'est la durée de la peine de ma famille puis celle de ma mademoiselle Bordeleau. Est-ce que ça se peut une peine qui dure plus longtemps que la durée de la vie d'une petite morte ? J'aurais donc dû penser à ça avant que vous me sortiez de votre livre. Mais je pouvais pas savoir ce jour-là que vous alliez me faire ça. J'ai manqué de temps. Vous, le saviez-vous ce matin-là, en vous levant, que je disparaîtrais des pages ? C'est dommage. Moi, j'espère que leur peine va durer toujours, juste pour me tenir compagnie dans la longueur de mon éternité.

Abracadabra, tour de magie ! Je tourne dans le topaze du ciel, un peu pâle avec des taches de nuages. Je tourne dans le bleu de la mer, plus foncé, avec des moutons frisés par les vagues. Je me sens bien dans le bleu. Le bleu m'a toujours rassurée parce que maman avait les yeux bleus. Parce que mon petit Jésus de plâtre aussi.

Depuis quelques années, j'ai demandé à maman et papa d'installer mon lit près de la fenêtre. Comme ça, je suis la première à dire bonjour aux matins bleus. Les matins gris, ceux qui disent la pluie ou l'approche du jour, je les aime aussi. Les matins noirs froids, ceux de l'hiver, je les aime moins. On dirait que ces matins-là l'école s'éloigne et que je dois marcher plus fort pour arriver. On dirait aussi que, ces matins-là, les pipis ont peur du froid et m'inquiètent.

J'adore la pluie bleue qui tombe, sauf quand le toit coule, que toutes les casseroles et les chaudières se retrouvent sur le plancher et se prennent pour des horloges grand-père que nous aurons jamais. Tic… tac.

Maman se désole toujours en se demandant si le jour viendra où ils trouveront assez d'aide et de bardeaux pour refaire la toiture. Papa a cessé de la consoler parce que c'est bien certain qu'il y a pas de réponses à ces questions-là, comme il y a pas de réponses à tous leurs regrets. Non, je me trompe, il y a des réponses au regret. Le jour bleu froid de la guignolée, on passe la journée devant les fenêtres pour voir si les guignols vont s'arrêter devant notre porte, les bras pleins de réponses. Dans ma famille, que les boîtes apportent des vêtements, des couvertures, des jouets, de la viande ou des pots de tomates, on se tient par la main, on fait quasiment une farandole, on crie et on rit de plaisir. Dans ma famille, on croit plus aux guignols qu'au père Noël.

Je viens de tomber dans le vert de la forêt de la Mauricie. Il a le vert sapin qui sent Noël et qui est foncé, foncé. Moi, j'aime le vert de l'érable argenté qui est un arbre tellement chatouilleux qu'à la moindre petite saute d'humeur du vent il se met à rire et à frissonner de partout. J'aime être dans le vert. J'ai jamais vu le vert de mauvaise humeur. Le vert me calme comme le bleu. Moi, j'ai les yeux vert tranquille. Si je n'avais pas été malade du rognon, j'aurais un vrai douze ans. J'aurais les joues roses et les cheveux longs. Comme je suis souvent couchée, maman me les coupe pour que ce soit plus facile à démêler.

Avoir eu un vrai douze ans, j'aurais eu de longues tresses roulées tout autour de ma tête pour me faire une couronne dans laquelle j'aurais pu piquer des pâquerettes ou des marguerites. J'aurais pu choisir, dans les boîtes que les guignols apportent, des robes qui auraient aimé danser. J'ai jamais dansé parce que maman a toujours eu peur que ça me fatigue trop. Mais comme j'ai jamais pu danser, je saurai jamais si ça m'aurait fatiguée ou non. Je suis peut-être la seule fille de douze ans de tout le village qui s'est cachée dans le grenier pour tourner sur elle-même dans les bras d'un cavalier invisible, en chantant « un, deux, trois, un, deux, trois ». Ça non plus, je saurai jamais. Presque toutes les filles de ma classe commencent à avoir le haut du corps qui gonfle et il y en a qui ont des cache-corsets. Pas moi. J'ai encore mes vieilles camisoles grises avec mon petit morceau de camphre qui rapetisse de semaine en semaine. Comme moi.

J'aime le vert miroir des lacs ou des étangs qui se trouvent dans le bois quand ils sont bordés d'érables, de bouleaux ou d'autres arbres aux feuilles folles contrairement aux sapins, aux pins, aux épinettes ou aux pruches qui se prennent pour les gardiens des bois et colorent les lacs d'un vert si foncé que l'eau, vue de loin, est presque noire.

J'ai jamais rien vu d'aussi beau que les premiers verts du printemps, tellement tendres que je dois résister pour pas mâchouiller les petites feuilles qui viennent de sortir des branches. Le vert sent bon. Le vert sent le bouquet de fleurs sauvages. Le vert sent la menthe.

Cauchemar. Le kaléidoscope vient de s'arrêter sur le jaune. J'avais pas pensé au jaune dans l'arc-en-ciel. Jaune, pour moi, sera toujours jaune pipi. J'en ai tellement vu. Mais aujourd'hui, jaune peut être celui du soleil, des fleurs, des citrons, des œufs. Peut-être que ce jaune est un peu plus foncé, comme l'ambre que Télesphore frottait avant de me le faire sentir. Jaune est la belle chaleur qui me quittera jamais plus. Plus de chapeau et d'écharpe, de mitaines, et de souffle si gelé qu'il disparaissait en buée. Ahhhh, si j'étais morte dehors en hiver, est-ce que mon dernier souffle aurait ressemblé à ça? Je serais entrée dans le kaléidoscope de l'arc-en-ciel sur une espèce de petit feu follet.

Mais le jaune soleil, quand il décide de se coucher, devient orangé à perte de vue. C'est pour ça que les couleurs de l'arc-en-ciel changent elles aussi. Derrière l'orangé, je vois du rouge. Ça y est, je suis rendue.

Mademoiselle Bordeleau nous a dit que, si on prenait toutes les couleurs du monde et qu'on les faisait tourner à toute vitesse, on verrait pas noir, mais blanc.

Je tourne, je tourne, je tourne, ça tourne. Tout tourne encore, plus vite, plus vite. Les sept couleurs de l'arc-en-ciel sont disparues. Non, elles sont revenues en blanc. Blanc comme la neige, blanc comme un nuage, blanc comme une feuille de papier.

Je suis une tache sur le blanc. À côté de moi, il y a mon ange qui me prend la main. On s'envole. C'est pas dans la Bible, mais moi je peux vous le dire. En bas, en bas, je vois l'éternité. Haaaaa. L'éternité est bel et bien blanche et sa lumière éblouissante.

Je pense que l'éternité est tout près d'un soleil qui tourne si vite que c'est lui, la lumière chaude et blanche du bon Dieu que je pense avoir aperçue au bout du tunnel dans lequel mon ange vient de nous engager. J'aspire tout ce beau. Il y a pas de mots, pas de dessins non plus. J'aurai de quoi m'occuper jusqu'à la fin de mon éternité.

Charlotte Baumier

Achevé d'écrire le 11 novembre, jour où Josée Caron nous a quittés pour l'éternité. Nous avions treize ans et étions en huitième année.

Février 1994

Ma choupoune,

La vie est drôlement faite. Au moment où tu me coulais une vie à l'intérieur d'une carcasse, mon cerveau en disparaissait. Je me rappelle vaguement que quelque chose se passait dans la tienne, mais je n'avais plus assez d'émotions pour m'en réjouir, encore moins pour m'en attrister.

D'aussi loin que je te voie, tu as tenu un crayon, pour écrire et pour dessiner. J'imagine bien cette époque que tu as ravivée et que j'ai tout fait pour effacer. Je me rappelle t'avoir lue. T'en ai-je été reconnaissante ? Je ne m'en souviens plus. Tout en sachant que ma vie t'a servi de toile de fond, je suis soulagée de voir que tu l'as tue pour la bonne et simple raison que tu ne l'as jamais sue, ni connue. Je n'ai jamais parlé de la lie et de mépris. Je n'ai jamais, non plus, parlé d'humiliation tant je déteste ce mot. Je sais qu'il y a cent autres façons de le dire, mais je ne les ai jamais cherchées. Uniquement pour te faire sourire, je n'ai jamais inclus l'*Acte d'humilité* dans tes prières. Tu as préféré ne jamais te faire naître et apparaître dans tes pages, ce qui est bien.

J'étais une petite pauvre, au-delà de ton imagination. La pauvreté, sache-le, a blessures et mépris pour voisins. Mais tous les villages ont de telles gens. Nous étions « ces gens », ces « eux », ces « peut-on imaginer ? », ces « comment est-ce possible ? ».

Je présume que ma mère a souffert d'une immense détresse le jour de l'aller sans retour de mon père. J'aurais aimé t'aider dans tes recherches, ma choupoune, mais de la vie de ma mère, je n'ai jamais rien su si ce n'est que mon père a bel et bien fermé la porte de la maison pour ne jamais en repasser le seuil. Nous ne sommes pas rentrés à Saint-Tite en train – nous n'en aurions jamais eu les moyens –, mais bien dans trois voitures conduites par un des frères de mon père et deux de ses collègues de travail de la Belgo. Ma mère nous a certes parlé de ces années où elle faisait la fierté de sa famille, mais nous a tu toutes les stations du calvaire de sa déchéance qui a conduit à sa mort. Je crois que tu t'es permis d'entrer dans sa nef secrète pour la lui réinventer. J'aurais aimé savoir, vraiment, s'il y a eu des choses que tu as racontées, je devrais dire imaginées, qui auraient pu être vraies ou s'approcher de la vérité. Je n'ai jamais pensé te le demander. Je me souviens vaguement de cet instant d'incommensurable fierté ressentie en refermant le premier de tes livres. Je me suis alors demandé si une moins que rien de petite Pronovost – tu en es partiellement – pouvait gravir des échelons impensables.

Tiens, à l'instant, il me revient un souvenir de tes affabulations. Un seul et il s'efface rapidement. J'habite dans un hôpital, je crois. Toi et moi sommes dehors. C'est l'été dans un jardin de terre brûlée et d'arbustes séchés. Tu me tiens par la main ou le bras et nous marchons près des arbres sous lesquels se trouve une table. Sur cette table, quelqu'un a oublié un livre. Il me semble en reconnaître la couverture. Je te regarde. « C'est nous ? » Tu as dit « oui » ou « non », à moins que tu aies dit « si tu veux », ou « pas vraiment ». Tu m'as installée sur une des chaises, toi à mes côtés, et tu as pris ce livre pour m'en lire ce passage où tu fais naître un bébé dans la neige. Moi j'ai ri, et j'ai ri encore plus quand tu m'as dit que c'était la naissance que tu m'avais inventée. Je crois avoir demandé pourquoi et tu m'as répondu : « À cause de Blanche-Neige. »

À peine en avais-tu terminé la lecture que je t'ai demandé de recommencer. Je pense que tu me l'as relu, comme tu me l'as probablement relu pendant les années de mon brouillard, pour me faire sourire ou m'endormir. Ai-je souri à cette lecture pendant les neuf ans où j'ai été déconnectée avant que la vie me débranche de façon inéluctable?

Donc, nous étions « ces gens-là », les petits pauvres de la rue, si ce n'est du village entier. Une famille de petits riens à l'ombre de la fierté de leur mère et d'un père invisible. Maman avait la fierté au bout des doigts. Pas besoin de te répéter qu'elle nous avait fait des manteaux avec les couvertures de la Belgo. Mais si une voisine ou une bonne âme ou tout simplement une rongeuse de balustre curieuse de voir de ses propres yeux « la pauvre madame Pronovost » – comprendre « jusqu'à où a l'a pu tomber, c'est dur à croére » – nous offrait quelque vêtement, il fallait voir maman sortir aiguilles, crochet, broches à tricoter, coupons de tissu et attaquer le vêtement avec pour seul but de le rendre méconnaissable. Nous, les jeunes, nous trouvions qu'elle réussissait à merveille. Les boutons étaient changés, les cols retournés ou embellis, les ourlets refaits. Nous trouvions les robes belles et c'est avec beaucoup de fierté que nous entrions à l'église, inconscients que les chuchotements que nous entendions n'étaient pas de l'impolitesse vénielle, mais de la médisance mortelle.

Je crois que tu as assez bien compris la suite. Tu l'as à tout le moins bien imaginée. Notre mère est entrée dans une vie de non-retours. Je suis partie pour le couvent, Paul chez les frères. Quelques années plus tard, Marie-Ange et Rose ont travaillé en usine, Émilien et Clément ont choisi l'Abitibi. Sans retour. Seuls les trois plus jeunes ont continué à se tenir à ses jupons. Aucun de ses enfants n'est vraiment revenu à part moi, pour lui donner un coup de main, et mon très cher Paul pour vivoter avec elle leurs deux vies d'échec au début des années 1940. Les petites sont donc restées collées à la misère de maman. Tu as bien décrit leur vie à l'étage de la classe d'une école au bout d'un rang menant nulle part.

J'ai tout fait pour échapper à cette vie, ainsi en as-tu décidé. À vrai dire, tu m'as plongée dans une vie de remords. J'ai quitté une mère isolée et profondément seule, en peine du couple qu'elle avait formé avec un homme à l'âme décrochée. Qui t'a dit que j'avais été forcée de faire du lavage et du repassage pour gagner ma vie, qui? À ma connaissance, à part moi et ma mère, qui recevait le salaire de la sueur, personne ne l'a su. C'est ça qui m'a fait peur : voir révélés haut et fort des secrets plus que tus, cachés au fond d'un tiroir, sous mon fer à repasser. Je me suis vraiment demandé si, avec ta manie de suivre des cours, tu n'avais pas suivi des cours de sorcellerie.

Avec le temps, je me suis réconciliée avec la vie d'hôpital, d'autant que tu m'as inventé l'amie dont j'avais toujours rêvé, Marie-Louise. Malgré mes années de pensionnat, je n'avais pas d'amies. J'étais toujours la petite menteuse qu'on disait orpheline de son père toujours vivant, une moins que rien, mais bonne en classe – une quasi-honte pour les autres élèves, mais objet de fierté ou d'orgueil, à toi de choisir, des religieuses dont j'étais la preuve vivante de leur grandeur d'âme et de leur talent d'institutrices. Les bien-pensants ont de la difficulté à fréquenter les petits pauvres, même si la mère était une maîtresse d'école qui avait enseigné à presque toute une paroisse-campagne. Je vois là-dedans la sagesse du curé Grenier, qui a probablement insisté pour que ma famille soit éloignée afin de lui épargner la méchanceté.

Il est évident que personne n'a pu échapper aux propos des malfaisants, mais au moins la famille Pronovost était à l'écart, ce qui était à la fois triste et heureux. Les Pronovost avaient tant aimé et soutenu ma mère. Je crois que c'est le décès de Dosithée, le père de mon père, mon grand-père Pronovost, qui a tout précipité. Mon père n'a jamais accepté que ma mère touche à ce qu'il estimait être son héritage. J'ai aussi le sentiment que sa mère, ma grand-mère Félicité, a tenu Émilie responsable de tout. Ils disaient que ma mère aurait dû fermer son école et rester près de mon père le jour où ma grand-mère a fait une fausse couche. J'avais quinze ans quand elle est décédée et j'ai souvenir des propos de mes oncles et tantes, les soirs de veille au corps. Tout en blâmant leur père d'avoir déshérité mon père malgré son ivrognerie et l'abandon de sa famille, ils enchaînaient aussitôt en disant qu'un père qui avait du cœur au ventre ne déshéritait pas un fils. Une de mes tantes, que je ne nommerai pas, se demandait si son père n'avait pas plutôt eu une petite faiblesse au cœur pour ma mère. J'ai souvenir des propos cacophoniques en réaction à ce que venait de dire ma tante. Blême, ma mère s'était levée, l'équilibre précaire, si je me rappelle bien.

« Franchement, je ne peux pas croire ce que j'entends, venez-vous-en, les enfants, notre famille est elle aussi dans le cercueil. »

J'étais scandalisée par toute cette histoire. Mon père quitte ma mère, et sa famille lui fait un procès à elle. On a passé le reste de notre vie à ne pas comprendre. Tu n'aurais pas eu une explication, toi?

À partir du départ de mon père – je ne peux pas dire que je souffrais pour lui ou pour ma mère –, j'avais décidé de ne pas trop les aimer. J'espère ne pas avoir l'air ingrate ou être une fille sans reconnaissance envers ses parents, mais j'étais plus à l'aise en les respectant qu'en les aimant. L'amour a trop de couleurs, alors que le respect n'a que la couleur du jour. L'amour a des attentes, le respect, de la déférence.

J'avais donc fait mon possible pour secourir maman, et mon arrivée à Montréal m'a ouvert une porte vers non pas le bonheur, mais la liberté qu'offrent la pensée et l'action.

Je ne t'ai jamais caché ne pas être une femme pieuse. J'ai été une élève performante et surtout docile. Il le fallait si je voulais avancer à travers les dédales de la vie grâce à mon uniforme blanc, mes chaussures blanches, ma coiffe et ma cape. J'ai adoré porter l'uniforme pour deux raisons, te l'ai-je dit ? D'abord parce qu'il nous attirait autant d'égards et de respect que le stéthoscope pour les médecins et, ensuite, parce que ça ne me coûtait pas cher de vêtements.

Avant de vivre à l'hôpital, je partais de chez ma sœur Marie-Ange pour me perdre dans les rues de Montréal, certes, mais surtout pour m'y retrouver. Personne ne me connaissait, encore mieux, ne me reconnaissait. Je pouvais respirer et le faisais à plein. Il était heureux que j'habite chez ma sœur, mais n'en parle jamais, j'aurais préféré ne connaître personne. À regarder les vitrines et malgré la crise qui arrivait au galop, je pouvais prendre conscience, jour après jour, du peu de possessions que nous avions eues.

Ma vie passait si rapidement que je fis mon entrée à l'école – inutile de répéter que j'avais été refusée en médecine – et déménageai. C'était la toute première fois que j'avais le sentiment de me comparer. Il m'apparaît clairement qu'à Saint-Tite la comparaison se faisait non pas avec les riches, mais avec les autres, alors qu'à Montréal il y avait beaucoup de choses qui se présentaient : le talent dans les études, la propreté de la chambre, la beauté, la longueur des cheveux, le nombre d'uniformes, la marque de chaussures, les vêtements personnels, les très riches et les autres, le succès auprès des étudiants en médecine… et j'en passe. Les filles ne parlaient que des autres, les médecins que des infirmières, les religieuses que de la pudeur auprès des patients et des résultats aux examens. Ma mère, après m'avoir congratulée, me demandait quand je lui expédierais suffisamment d'argent pour qu'elle puisse pourvoir aux besoins de mes jeunes sœurs.

Nous étions plusieurs étudiantes issues de la campagne à tenir serrés les cordons des frivolités pour aider nos parents. C'est ainsi que, Marie-Louise et moi, nous nous sommes flairées et comprises avant même d'avoir à expliquer d'où nous venions. Nous sortions rarement, n'allions point au cinéma, encore moins au théâtre, et pour tout loisir, nous lisions, jouions au tennis, si les résidents ne prenaient pas le court, ou osions une partie de cartes ou de dames. Les danses et autres divertissements n'étaient pas pour nous sauf, rare gâterie, le thé que nous prenions au Ritz-Carlton. Mais là s'arrêtait presque la différence.

Une fois connu notre statut, nous nous mesurions d'égale à égale par le talent. J'en étais ravie, d'autant que Marie-Louise, si elle était la plus agréable de nous toutes, la meilleure auprès des patients, la plus souriante – même si elle avait dix jours ingrats par mois et des maux de ventre à lui faire dire qu'elle ne pourrait jamais supporter un accouchement –, cette Marie-Louise, cadeau du ciel, avait toutes les difficultés du monde avec ses études. Cette situation fut une bénédiction pour moi puisque je pouvais l'aider et de ce fait apprendre la matière en l'expliquant.

Ma choupoune, tu as bien dit la beauté de notre amitié. Après son décès, je n'en ai plus eu de telle. Paul, mon cadet, l'a bouleversée. Jamais je n'avais vu une personne se laisser mourir de faim, parce qu'elle en a perdu l'appétit. Pour tout t'avouer, j'espérais connaître un amour aussi grand. Mais celui de Marie-Louise m'obsédait tout autant qu'il le faisait avec elle puisque, du matin au soir, ses questions étaient les mêmes, se déclinant toutes sur : pouvais-je les voir ensemble pour la vie ?

Il est vrai que Paul était exceptionnel d'intelligence et de talents. Est-ce volontairement que tu as omis son talent de peintre? Peu importe, tu as fait un Paul plus grand que nature, ce qu'il était. Rares sont les êtres qui continuent d'avancer malgré le poids des écueils de leur vie. Mon beau Paul a peu déplacé son horizon même quand la vie l'a forcé à claudiquer. Je n'ai jamais osé le dire, mais j'aurais tellement voulu qu'il me donne Marie-Louise pour belle-sœur. Ces deux-là étaient faits l'un pour l'autre, tu ne peux imaginer. Mais à cette époque, une vocation promettait la plus grande reconnaissance que pouvait avoir un jeune homme. Je crois que maintenant vous dites « standing ». Ces jeunes hommes avaient de longues études exigeantes.

J'aurais aimé que Paul s'ouvre à moi des sentiments qu'il a éprouvés à la mort de Marie-Louise. Non, je ne veux pas dire ça. S'il m'avait dit qu'il ne l'aimait pas du tout, je lui en aurais voulu parce que Marie-Louise était, à ce moment de ma vie, une des personnes que j'aimais le plus au monde. Il ne faut pas que je repense à sa mort trop souvent parce que j'en ai encore le cœur bourré de questions. Première question, quelle idée ai-je eue de lui donner ce sang qui l'a tuée? Et la deuxième, avait-elle glissé sous le tramway par distraction? La troisième, peut-on tomber sous un tramway par chagrin? Jamais, je te jure, ma fille, jamais je n'ai réussi à effacer ces questions de ma tête ni de mon cœur. La vie est quand même bien faite. Cinquante ans plus tard, nous pouvions, toi, tes sœurs et moi, manger et rire, et personne ne soupçonnait que Marie-Louise accompagnait encore mes pensées quotidiennement. Quoique nos pensées nous appartiennent, tu m'en as donné de nouvelles ou d'originales auxquelles j'ai, ma foi, cru ou plus exactement aimé croire.

Si tu n'avais pas inventé Napoléon Frigon, je l'aurais fait moi-même. Je ne parle pas du jeune blanc-bec qui voulait que j'enfile un tablier pour le servir à table et être sa femme de ménage, non. Je parle de ce jeune homme qui m'a tant aimée qu'il a fui son avenir pour en recréer un. Mon entêtement me paraît maintenant futile et insignifiant. Je crois être passée à côté de l'âme la plus douce, celle qui aurait pu comprendre ce que j'attendais d'elle. J'imagine que la jeune femme juchée sur ses grands chevaux était la fille de ma mère. Ça aurait été merveilleux que je puisse m'en confier, mais ma mère ne parlait jamais de ces choses branchées nulle part dans ses champs d'intérêt ou ses principes. Ma mère savait les jours et le labeur, mais les rêves appartenaient au silence de la nuit.

Je m'en veux encore de ne pas avoir retenu Napoléon. J'ai eu amplement le temps d'y penser et m'est avis que sa vocation, ainsi pensions-nous à l'époque, s'est élevée en barrière au sentiment. Je n'aurais su exprimer sa beauté. Une photographie de moi et tu aurais pu dire mon émoi et combien j'avais souffert de taire les mots qui, de toute façon, n'auraient pu retrouver le chemin de son cœur. Quand je pense qu'il m'avait demandée en mariage, moi, et j'avais répondu non, sans vergogne, comme si cet instant béni pouvait repasser.

J'ai été sotte. Si tu pouvais me voir, ma choupoune, tu saurais que j'ai sorti un mouchoir. Il y a de ces instants si forts que tout notre corps peut et veut les revivre. Comme en ce moment. Je pourrais reconnaître son parfum s'il venait m'effleurer ou la douceur de ses lèvres. Napoléon avait quelque chose dans le timbre de la voix qui me filait directement de l'oreille au frisson. S'il m'étreignait en me parlant, je voulais demeurer là, retenue à la vibration de tout son corps. Personne ne peut soupçonner combien sa voix a pu me manquer. Les soirs de tristesse, j'étreignais mon oreiller et je me chantonnais des berceuses uniquement pour entendre une vibration.

Trêve de vains épanchements.

Tu auras compris que, de mon service privé à Montréal, j'ai retenu les tours d'ivoire des gens fortunés, ces pépinières de la grande solitude des âmes discrètes et muettes. De la pauvreté de mon enfance, j'ai longtemps cru que l'argent me guérirait de mes peurs et de mes insomnies. Pour tout te dire, mon enfant, l'opulence m'a inoculée contre l'ambition crasseuse.

Je suis partie de la vie de château à une vie incomparable. Des bains chauds et des robinets à eau froide, parfois chaude, j'avais maintenant une pompe en plein champ. Le chauffage central avait été troqué contre un poêle à bois. Tout le rez-de-chaussée de ma maison, mon cabinet, tenait dans un salon et une salle à manger d'Outre-mont. J'ai eu mal et peur. Mes insomnies avaient repris de plus belle. Pendant des semaines, je faisais des efforts magistraux pour ne pas pleurer ou hurler. Je battais quasiment ma coulpe en me demandant pour quelle raison j'étais revenue à la case de départ : j'avais déjà connu cet inconfort dans les écoles de ma mère et dans celle que nous avions habitée ensemble. Mon chagrin d'amour avait repris de telles proportions qu'il remplissait toutes les minutes inoccupées de ma journée, heureusement assez rares. Le bon docteur Martel, mon patron, est passé me voir pour me rencontrer et m'instruire des façons de faire en colonie. Ce n'était pas de tout repos, il me fallait dresser l'inventaire essentiel au cabinet, remplir les formulaires pour le ministère de monsieur Vautrin, visiter et accueillir les malades. Le docteur Martel m'avait ensuite quittée en me souhaitant bonne chance et en me félicitant pour ma belle vocation. Il avait dit « vocation ». Napoléon avait choisi de devenir père missionnaire et voilà que j'avais choisi une vie semblable à la sienne. Ne répète jamais ceci, ma choupoune, mais tous les soirs avant de somnoler ou de m'endormir, je lui parlais, lui demandant de me donner du courage. Si je négligeais de parler à la Vierge ou au Christ, jamais je ne me suis privée de le faire avec Napoléon.

Peu à peu la vie a pris son cours, ma sœur Jeanne m'a rejointe pour me seconder et je me suis promenée à cheval sur le bonheur. J'ai mis mon premier bébé au monde. Ce jour-là, je demandai à mon cheval de galoper sur un nuage, ce qu'il fit presque.

L'Abitibi m'a curieusement rapprochée de mes frères et sœurs, que le départ de notre père – jamais de ma vie je ne me suis résignée à dire la séparation de mes parents, même à toi, à qui j'ai dit en toute franchise qu'ils n'étaient pas vraiment séparés mais ne vivaient pas ensemble – avait tous expédiés au diable vauvert.

Je t'ai tout raconté de l'histoire de ma rencontre avec ton père en omettant que c'était l'instant de ma vie le plus improbable et le plus impensable. Je ne sais, ma choupoune, où se tenait Cupidon ce jour-là, mais la flèche m'a atteinte au cœur et l'a fait basculer. Il était encore gonflé par l'amour que je portais à Napoléon et voilà qu'un hurluberlu venu du Manitoba m'a fait tourner la tête et du coup m'a retourné le cœur de pile à face.

Je te jure, le temps de mon chagrin d'amour venait, presque à mon insu, de faire une complète révolution. Je ne vais certainement pas te redire la colonie, mon cheval, mon chien, mon cabinet, mes patients, mes bébés, encore moins l'amputation de mon pauvre Paul, non. Mais je peux te rappeler le feu qui a tout détruit et la demande en mariage de Clovis. Nous n'avons pas tardé. On aurait dit que nos trentaines respectives nous tiraient irrémédiablement au pied de l'autel. Nos oui furent sincères, et sincères également nos larmes lorsque j'ai perdu notre premier puis notre deuxième bébé. J'ai eu beaucoup de mal à rouvrir les yeux et à regarder la vie devant moi. J'avais le sentiment de m'être perdue en quittant l'Abitibi et en survivant mal à ces promesses de vies non tenues.

Finalement, je suis devenue mère et j'ai vécu les plus belles années de ma vie. J'ai élevé mes filles durant ces années perturbées par la guerre, et toi, tu auras été mon baby-boom surprise. Duplessis est mort, puis, au moment où le Québec a commencé à se prendre pour une toupie, Élise a vu mourir son père, mon Clovis. Jusqu'à mon décès, j'aurai fait des cauchemars de son agonie. Sa mort a été atroce, et même là il aura fait preuve de courage et de générosité. C'est du moins ce que, beaucoup plus tard, m'en a dit Élise.

J'étais dans la quarantaine et j'avais l'âme endeuillée. J'ai heureusement reçu des compensations au décès de ton père, ce qui m'a permis de garder la maison pendant le temps de vos études, vous évitant ainsi un autre grand changement. Je ne sais pas si j'ai été une bonne mère à partir de ce jour où j'ai dû également être votre père. J'avais eu pour modèle une mère échinée par le travail. Quant à celui de mon père, outre ses esclandres et de rares pointes d'humour, n'en parlons pas. Je devais donc être les deux pour vous et, en toute franchise, j'en ai souvent été désespérée. J'ai pensé retourner en Abitibi pour m'appuyer sur ma famille, mais il m'est apparu clairement que celle-ci était composée de mes enfants et de moi. Tu n'étais pas encore à l'école et, je sais, tu n'auras jamais eu souvenir de ton père. Tu as eu la sagesse de taire cette période composée de jours tous plus noirs les uns que les autres. Je ne crois pas être fière de moi-même. Il me semble que j'aurais pu en faire tellement, à commencer par reprendre un travail pour me sortir de ces murs de domesticité absolue. Je vivais en tablier la classique vie du lavage le lundi, du repassage le mardi, de la couture et du rapiéçage le mercredi, des courses le jeudi pour la fraîcheur des étals, du salon de coiffure le vendredi et de la fin de semaine à vous regarder grandir et tenter de le faire également à vos côtés. On dirait, ma choupounette, que je n'ai aucun souvenir de ce quotidien qui m'ennuyait à mourir, je l'avoue, mais qui vous rassurait quant aux lendemains. Je vivais dans le regret et le souvenir : celui de mes amours avec Clovis et celui de la colonie avec ces gens que j'aidais à vivre, vraiment. Mes souvenirs se chevauchaient perpétuellement de la colonie à Clovis, de Clovis à la colonie.

Élise était adolescente, Micheline la suivait, et toi tu en étais encore à l'apprentissage de l'alphabet quand nous sommes toutes les quatre parties pour un voyage au Manitoba. Nous y avons été accueillies par ces oncles et tantes qui portaient les noms que vous lisiez en haut à gauche des enveloppes que nous recevions ou au bas des cartes de Noël où parfois se trouvait une photo de famille. Élise et Micheline ont habité chez leur grand-mère et dormaient au grenier sur un matelas de plumes, où elles ont eu le sentiment de dormir sur un nuage. Toi et moi, nous logions chez ton oncle, face à la résidence des religieuses où vivaient tes deux tantes. Ce deuxième Noël sans Clovis nous a gâtées. Nous avons été reçues tantôt chez un oncle, tantôt chez une tante. Mais le plus extraordinaire pour vous aura été de rencontrer vos cousins et vos cousines. Vous en aviez des dizaines, contre deux à Montréal. Ce qui m'a émue était cet air de famille entre vous et eux, ce qui ne soulageait en rien mon sentiment de vous priver de votre vie.

Nous sommes rentrées à Montréal et le train a été stoppé sur la voie perdue en Ontario pendant près de deux jours à cause d'une tempête de neige qui avait fait disparaître les rails et recouvert les wagons jusqu'en haut des fenêtres. J'étais morte d'inquiétude : aurions-nous suffisamment d'eau, de charbon et de nourriture si nous étions immobilisés pendant longtemps ? Pour ne pas porter ombrage à votre jubilation de voir notre retour à la maison être retardé, je ne vous en ai pas parlé, mais mon angoisse me tenait compagnie durant la nuit, tu ne peux imaginer.

C'est à quatre que nous avons traversé les changements des années 1960 et les événements d'octobre 1970. J'étais loin de me douter qu'une de mes filles avait pu avoir des liens avec le FLQ, encore moins être emprisonnée. Mais qu'elle ait été la maîtresse de Claude Delambre, devenu ministre de la Justice, avait étouffé toutes les prétentions que j'aurais pu avoir quant au succès de ma façon de vous élever. Je n'ai fait ni interrogatoire ni inquisition, mais m'est avis qu'elle a cessé toute collaboration si collaboration il y a eue. En revanche, tu m'as appris qu'elle se serait fait avorter à New York si elle n'avait pas fait une fausse couche ! J'ai pleuré, je t'avoue, pour plusieurs raisons, la première étant qu'elle ne m'en avait soufflé mot. Je me suis sentie expulsée de sa vie en même temps que ce projet d'enfant. La deuxième, par peur qu'elle puisse être traumatisée dans sa féminité pour toujours. Encore là, je n'ai pu la tenir dans mes bras pour la réconforter. La troisième, c'est que j'aurais aimé le rôle de grand-mère et, oui, accepté ce bébé sans problème aucun. N'avions-nous pas tous adopté Aline ? J'aurais dû vous en parler. Là encore, j'en ai eu mal au ventre, redoutant que ce soit à cause de ma réaction ou de celle qu'elle redoutait après s'être fait avorter. J'aurais aimé tenir un morceau de Clovis dans mes bras, le sentir et lui promettre cet amour inconditionnel que vous avez eu et aurez toujours, que Clovis a certainement emporté avec lui en souvenir de son passage sur terre et dans mes bras.

Trêve de vains épanchements.

J'aurais voulu avoir des filles plus différentes l'une de l'autre que je n'aurais pu mieux réussir.

Élise, à mon avis, marchait à contre-courant de son époque. C'était en effet incroyable que dans les années 1960 elle veuille conduire une calèche sur le mont Royal. Je veux bien croire que j'avais eu mon cheval en colonie, que la famille d'Ovila aimait les chevaux et que ma mère avait eu le sien également, mais le siècle n'était plus le xixe et les rues étaient encombrées de voitures, d'autobus, de trolleybus et de tramways! Les temps avaient changé et mon Élise avait une fixation sur une époque révolue. Elle était quasiment une hippie et je t'avoue m'être sincèrement demandé ce qu'elle deviendrait. Elle a quitté la ville pour vivre à la campagne, amoureuse de ce Côme Vandersmissen qui ne ressemblait à personne que j'aie connu. Mais c'était lui qu'elle aimait et lui qui, au moment où Micheline croupissait en prison, était le père de mon petit-enfant, celui qu'Élise avait finalement réussi à concevoir. À ce chapitre, elle aura été ma fille. Nos rêves de maternité auront tardé à se réaliser.

Mes filles m'ont traînée dans ces lieux que je voulais ignorer. Naïve, mais pas dupe, j'ai rapidement compris que Jean-Charles, ce charmant journaliste, était fort possiblement mon nouveau gendre. Ces séparations et ces divorces qui éclataient comme du pop-corn m'ont bousculée jusqu'à ce que je comprenne qu'ils allaient de pair avec le début de ces défections religieuses. J'aurais eu un peu d'humour à ce sujet, je t'aurais dit avoir du mal à imaginer que mes parents avaient peut-être été avant-gardistes. Tout humour que j'aurais pu avoir s'est étranglé par la débandade du couple Élise-Côme.

Il faut que je te dise que la naissance des jumelles – Côme était évidemment absent – a tellement ressemblé à la mienne que je me suis demandé si tu avais été à court d'imagination. Mes propres petites-filles dans la tourmente d'une tempête comme je l'avais été… Tssst.

Dès que je les ai vues, ma vie a atteint son comble. Je savais que jamais je ne serais aussi heureuse. Avoir pu être l'infirmière sage-femme de ma propre fille aura été un des grands moments de mon existence.

C'était sans compter le jour du baptême. Avant de m'éteindre, t'ai-je remerciée d'avoir ramené Napoléon à mes côtés ? Quelle générosité de ta part d'avoir non seulement rallumé la lampe du sanctuaire de sa vie, mais la veilleuse de mon âme. Et en plus, tu nous as mariés ! Je suis encore trop pudique pour te dire sa douceur et le confort de ses étreintes, mais sache, ma choupoune, que j'ai retrouvé le goût de vivre que je ne savais même pas avoir perdu. Nous avons quand même fêté notre vingtième anniversaire de mariage. Oh, la belle fête que nous avons eue avec Élise et son Wilson, Micheline et Jean-Charles, qu'elle a finalement retenu dans ses filets, et les jumelles venues avec leurs petits chums.

Mmmm… Dis-moi, t'ai-je remerciée d'avoir ramené Napoléon? Je me le demande depuis tout le temps. Dans tous les cas, je le fais immédiatement. Merci, de tout mon cœur. Merci d'avoir fait un aussi beau réveillon. Regarde mon Napoléon, il est toujours prêt à m'aider, toujours à mes côtés.

Je l'aime comme j'aime la chaleur bleue du soleil, le bleu du ciel étoilé, le bleu du fleuve qui voudrait être une mer et le bleu de ma robe de noces. Quoi? Non? C'était la robe que je portais avec Clovis. Ahhh.

Mmmm… Je suis mêlée dans mes mariages. C'est vrai, avec Napoléon, c'était un tailleur de jersey de laine blanche, comme moi, Blanche, comme sa soutane. Il n'est plus prêtre? C'est vrai, il est revenu m'aimer jusqu'à ce que la mort nous sépare. Ahhhh.

Nous sépare. Mmmm… maman, je ne veux pas que la mort nous sépare, tu m'entends? Ce n'est pas la mort qui m'a séparée de Clovis?

Ta dinde est tellement bonne, ma choupoune, tellement bonne. Non, ce n'est pas la recette de maman, parce que maman ne mettait pas de cari et pas de farine grillée dans son ragoût, elle mettait de la farine blanche. Ahhh. Comme moi, Blanche.

Mmmm… Oh, j'oubliais, ma choupounette, merci d'avoir pensé à ramener Napoléon dans ma vie. C'est mon plus beau cadeau de Noël. Peux-tu me dire, voyons, me dire les… voyons, comment est-ce qu'on appelle les petites boules vertes que mon amour, mon Napoléon, vient de mettre dans mon assiette. Comment? Ah, oui, des pois. J'ai la tête pleine de grelots verts. Ahhh.

Oh, j'y pense, peux-tu me dire, ma choupoune, le nom du bel homme assis à côté de moi, celui qui vient de me servir des pois? Ah oui, Napoléon Frigon. Et vous, madame, qui me dites écrire des livres, pouvez-vous, s'il vous plaît, me rappeler votre nom, madame? Arlette…

Mmmm… on se connaît?

Ta mère,
Mme Blanche Pronovost

Montréal, an 2004

Chère Arlette,

J'ai pris connaissance de tout ce que tu as écrit et il est clair que j'ai mes préférences, permets-moi de t'en faire part. D'abord, *J'aurais voulu vous dire William*, parce qu'il est rare dans ta bibliographie que tu prennes un homme pour personnage principal, quoique la narratrice soit à sa recherche. Viennent ensuite *Les Filles de Caleb*, surtout *L'abandon de la mésange*, il va sans dire. J'ai cru comprendre que ton préféré est *Depuis la fenêtre de mes cinq ans*. Si tant est que la nostalgie te soit confortable, je te comprends, tu ne peux imaginer combien.

Je veux te remercier, sincèrement, de m'avoir donné une vie d'encre et de papier certes, mais amoureux d'une Blanche d'encre et de papier, de chair et d'os. Tu as certainement remarqué que j'écris à l'encre bleue. Blanche, elle, prenait toujours de la verte dès qu'il s'en est trouvé sur le marché.

Dans *Le cri de l'oie blanche*, j'étais jeune et idiot, peut-être fat et légèrement imbu de moi-même. Tu m'as fait unique enfant gâté de gens de la haute société, en région. Subtil, quand même. J'ai donc été élevé loin de l'anonymat des grandes villes, mais collé sur l'arrogant confort qu'elles offrent. Subtil, puisqu'en m'en privant tu m'enlèves, d'abord, suffisamment de quelque chose pour me donner une détestable impression de privation. Ensuite, tu m'offriras le sacrifice et la souffrance en compensation. J'ai été gâté, certes, parce que entouré d'amour, de tendresse, du regard bienveillant de parents intelligents, mais aussi parce que vêtu du dernier cri, conduit à tous les spectacles en tournée et véhiculé dans une chic voiture par mon père, ou sur ma moto personnelle. J'avais le nombril à peine sec que j'ai rencontré celle qui sera la femme de mes amours, la femme de mes rêves et de mes regrets.

Il est clair que tu as omis de parler de mon chagrin, préférant te rabattre sur Blanche et ses sentiments, Blanche et ses émotions, j'irais jusqu'à dire Blanche et ses frissons, ce qui était normal pour la structure de ton livre.

Je vais te parler, moi, de mon chagrin, qui fut tellement grand que j'ai touché aux abîmes du désespoir. Il m'était impossible de me pardonner mon entêtement, ma prise de décision sans égard aux souhaits et aux désirs de Blanche. Pauvre petite. Je la regardais par ma lorgnette, toujours. Je revois encore, au ralenti comme il se fait au cinéma, le soir où j'ai annoncé nos fiançailles. Quand je dis que j'étais idiot, je n'ai vu que de la douleur sans songer à la cause. Comme tout être fat, je lui en ai voulu, je la tenais responsable de cette peine sans fond et sans fondements, du moins le croyais-je.

Mes parents étaient catastrophés. Non seulement leur éternité n'avait jamais pris son envol, mais elle était maintenant sérieusement compromise. Coup de grâce assené pour punir l'univers, mes parents et Blanche, j'ai décidé d'entrer dans les ordres. À ce jour, je ne sais ce qui m'a pris. Facile de comprendre que je voulais m'éloigner, mais je te jure n'avoir jamais rien eu d'un missionnaire. À bien y réfléchir, j'abandonnais mes parents à leur destin pour aller prendre soin de gens qui avaient besoin de services que mes centaines de collègues pouvaient leur offrir aussi bien que moi. En vérité, probablement mieux.

Tout a failli basculer le jour où j'ai rencontré Blanche au parc La Fontaine. J'avais tout prévu, choisi secrètement le lieu que je voulais habiter pour me donner quelque chance de la rencontrer, la redemander en mariage en enlevant ma soutane, lui enfiler à nouveau la bague qu'elle avait déjà eue en sa possession et reprendre la vie là où je l'avais sottement abandonnée. Je traînais son alliance dans ma poche intérieure, à côté de mon chapelet, collée au cœur. J'allais au parc le matin, l'après-midi, tôt en soirée... On croyait voir en moi un nouveau supérieur général. J'emportais toujours mon bréviaire et j'allais surtout près de l'hôpital, certain de l'y apercevoir. J'étais obsédé à tel point que, si je me rendais en chapelle, c'était pour mettre au point mes croyances à moi. Si Dieu était amour et que j'étais amoureux de Blanche, je pouvais consacrer ma vie à l'aimer sans pécher, mais elle n'était jamais là. Et voilà qu'enfin, au jour sans horizon, elle m'est apparue dans toute sa beauté éclairée par un iris bleu. La profondeur de son regard m'a vrillé le cœur. Mon amour avait tant grandi que, pour elle, il fallait trouver une cathédrale pour le bénir.

Nous nous vîmes enfin et je regrette de n'avoir pu lire ses pensées. Après une hésitation, elle se dirigea vers moi en me tendant la main. J'ai compris que nous nous aimions tous les deux comme au jour maudit de notre adieu. J'étais sans voix. Nous avons échangé des politesses. « Maintenant, que je me disais, maintenant. Dis-lui combien tu l'as attendue et combien tu l'aimes. Non, non, demande-lui d'abord pardon. » Elle était là à moins d'un pied de moi, noyée dans le bleu de son œil. Ai-je rêvé en y voyant une larme ? Certainement. Aurait-elle rêvé si elle en avait aperçu une dans mon regard ? Non. C'est en silence que nous avons dit « je t'aime ». Et nous nous sommes embrassés. Son baiser avait un goût de paradis, de promesse éternelle. « Maintenant, que je me répétais. Sors la bague. Dépêche-toi avant qu'elle parte pour sa colonie et toi pour Haïti. »

Aaaaaaahhh. Mon amour et ma souffrance se sont exacerbés là, à cet instant, devant le bassin du parc La Fontaine. J'ai su que chaque petit geste que je ferais serait pour elle. Que chaque personne que j'aiderais serait elle. Que l'ivresse de ma douleur lui serait dédiée. Que mon sacrifice de sa chair serait pour elle, quoi qu'elle devienne.

Jamais je n'ai pensé possible d'aimer une autre femme. Il y a eu des femmes d'ébène venues directement du paradis terrestre pour m'offrir une pomme. Je n'ai jamais embrassé d'autres femmes ou même couché avec l'une d'elles, malgré un désir qui parfois me poussait au scrotum.

Le non-dit nous a tués. Nous avons tous deux pris le chemin de notre destin. Je l'ai cherchée des yeux jusqu'à plus vue et je me suis écroulé sur un banc, les jambes coupées, le cœur exsangue. Ma vie allait être longue.

Haïti sentait la misère, cachée derrière le sourire des gens. J'ai eu un coup de cœur pour les religieuses de l'orphelinat, pour les médecins qui soignaient le mal en mal de médicament, pour la beauté bringuebalante de toutes les constructions, plantées ici et là au hasard des jeux d'ombre et de soleil.

Ces coups de cœur m'ont dardé l'envie d'aider, d'aider et d'aider. À ce moment de ma vie, je n'avais pas encore pris le goût de la prière. Je préférais tourner les pages de mon bréviaire en n'ayant qu'une pensée : Blanche.

Les saisons ne ressemblant en rien à ce que j'avais connu depuis toujours, ma première année a fui, plus ou moins chaude, plus ou moins verte, plus ou moins colorée. Quoique occupé par la messe que je chantais ou à laquelle j'assistais quotidiennement, je me trouvais près des gens tout le reste du temps. J'allais dans deux ou trois écoles, chez les tout-petits, les adolescents en uniforme et l'école des mamans qui venaient reprendre le temps sacrifié à l'alphabet. J'étais là avant que sévisse Papa Doc. La misère, sans âge, marchait dans la rue. Je ne savais par où commencer. Il y a eu ce petit garçon que j'ai conduit chez l'oculiste, qui l'a équipé de lunettes. De ce jour, non seulement le garçonnet a pu lire, mais il a décidé de devenir instituteur. J'allais servir des repas au couvent, visiter des malades dans les hôpitaux ou dans des huttes, travailler à la reconstruction d'une école – nous y avons installé des toilettes qui se sont avérées aussi utiles aux enfants des classes qu'à ceux de la rue. Tous les soirs, en guise de vespéral, je me rendais à l'orphelinat pour bercer les enfants. Il y avait les enfants beaux comme des dieux, noirs au regard de velours, confiant et abandonné.

Ces moments étaient faits de joie et de colère. Mon raisonnement frôlait celui de mon adolescence lorsque je cherchais l'amour de Dieu derrière ces portes que peu de gens franchissaient. Et il y avait les restavek, que les religieuses tentaient d'arracher à ceux qui les prenaient pour en faire des «domestiques» sans statut ni réelle famille.

Malgré mon horaire chargé, j'avais le temps de penser à Blanche et de lui parler chaque fois que je me déplaçais d'un endroit à un autre, à pied, à bicyclette, en autobus ou en charrette. Certains jours, elle pouvait me tenir compagnie pendant dix minutes, d'autres, plus d'une heure. Un observateur aurait pu remarquer que je me tenais les mains. J'étais le seul à savoir qu'une main était la mienne et que je prêtais l'autre à la pensée de Blanche.

Le soleil et la routine engourdissaient mon mal, si bien que je n'ai pas vu passer les années. Puis les sourires se cassèrent le jour où le docteur François Duvalier s'offrit un immense cadeau pour ses cinquante ans : il se proclama président d'Haïti. La souffrance vint tarauder tous les missionnaires, et la congrégation nous proposa de rentrer au pays. J'ai goûté aux tontons macoutes et ai appris ce qu'était la peur, oui, mais surtout j'ai cru à plusieurs reprises ma dernière heure venue. Crois-moi ou non, ma belle, pour l'avoir vécu, je sais avec certitude que ma dernière pensée sera pour Blanche. Puisque je ne parlais plus beaucoup à Dieu, je ne lui ai pas demandé d'aide. Je me suis contenté de lui raconter tout ce que je voyais en lui rappelant qu'il n'avait pas le droit de laisser la souffrance prendre le pays en main. J'ai vu Fort Dimanche et la torture, les macoutes s'empiffrer sous le regard de dizaines de prisonniers affamés. J'ai entendu hurler à mort pendant que, les yeux fermés, je récitais les prières de l'extrême-onction. Comment un disciple d'Hippocrate, qui avait tant combattu le typhus, pouvait-il couvrir son pays et sa population de misère ? Il en avait contre les religieux et les missionnaires, contre les pauvres et les riches, contre tout, finalement, ce qui lui imbibait la pensée.

Malgré les rues parfois dangereuses, les détours par des sentiers ou par des ruelles non éclairées où, tous les soirs, j'entendais les chuchotements comme les cris, j'allais à l'orphelinat bercer les enfants et leur chantonner des berceuses qui parlaient de mamans et de rêves.

Les années ont passé et je me demandais à quoi Blanche avait occupé les siennes. Je ne me serais jamais permis de communiquer avec une de ses sœurs ou avec son frère Paul pour m'en enquérir. Je vais te mentir en disant que c'était par discrétion ou parce que je ne voulais pas la troubler. La vérité était que j'avais une peur immense qu'elle m'ait relégué aux oubliettes ou qu'elle soit décédée. Il m'arrivait parfois de craindre qu'elle soit souffrante.

J'en étais là dans mes pensées quand mon supérieur m'a écrit qu'il était temps que je rentre. J'avais donné à Dieu près de trente ans de ma vie, et la vie que j'avais quittée m'avait fait orphelin. Depuis Haïti, j'avais vendu la maison de mes parents. Mon père, je l'en ai maudit, avait placé tout son argent à terme pour vingt-cinq ans.

Je suis donc revenu au Québec après le concile Vatican II, et j'ai continué de porter ma soutane, non pour des raisons religieuses mais bien parce que les gens avaient confiance en la voyant. J'ai quand même pu retourner en Haïti quand soudainement on a senti une légère baisse de vocations, à la fin des années 1960 et au début des années 1970.

Tu sais, je n'ai jamais parlé de Dieu à qui que ce soit. J'ai toujours parlé d'amour. Je me suis refusé au mensonge. On m'a demandé en Haïti pour

Noël 1970. J'ai alors pensé en être à mon dernier séjour. À chacun de mes passages, j'allais voir mes amis et les enfants de mes amis. Mes «bébés» étaient devenus grands, mariés ou désœuvrés. Je savais toujours où les trouver. J'en ai eu plusieurs qui n'ont pas survécu à la maladie ou tout simplement à la vie qui leur avait été réservée. Le petit Dieudonné, celui à qui j'avais acheté des lunettes, a tenu parole. Il est devenu professeur et a été embauché par Bébé Doc pour travailler à l'instruction. Je n'ai pas posé de questions. M'est avis qu'il avait dû se tremper les mains quelque part pour avoir un tel poste. Nous nous sommes vus à son bureau et je t'avoue avoir été ébranlé par l'opulence des lieux. Je me tenais les mains, crois-moi, j'avais besoin du soutien de Blanche. Il m'a dit: «Je sais ce que tu penses, père Napoléon. Tu penses tout vrai et tu penses tout faux.»

Je pensais vrai. Il avait bel et bien vu passer de l'argent et s'en était servi pour construire une maison confortable, pas luxueuse, dans Les Gonaïves, pour sa famille. Il avait pris le surplus pour payer le transport de ceux qui voulaient quitter le pays pour étudier, à condition qu'ils reviennent servir. Ils avaient parfois eu des comptes à rendre et les avaient rendus avec plus ou moins de vérité. Tous les jeunes n'étaient pas rentrés, m'avait-il confié avec un sourire en coin.

Je pensais faux, avait-il conclu, si je pensais qu'il avait spolié ses concitoyens. Oui, il avait été grassement payé, mais oui, également, il avait redonné, peut-être pas au centuple, mais redonné tout de même. Il aurait à négocier sa punition devant Dieu, pas avec moi, pour éviter de me chagriner. Je te jure que je n'aurais pas voulu être ce Dieu qui avait à appliquer sa loi et celle des hommes. Je me suis serré les mains de plaisir. Je n'avais pas sourcillé ni même tiqué. Je n'avais pas jugé, ayant écouté avec la compassion et de l'ami et du confesseur. Je suis rentré en janvier.

Le froid me pesait de plus en plus – est-ce parce que je commençais à vieillir, moi? – et je ne cessais de me chercher quelque utilité. Comme une bonne partie de la population du Québec, j'ai reçu sur la tête la moitié de la neige de toute la planète le 4 mars qui a suivi mon retour.

Sincèrement, je ne savais plus à quel saint me vouer, d'autant que je les avais quelque peu négligés, hormis saint Antoine pour ce que j'égarais et Jésus-Marie-Joseph pour colorer ma colère, mon bonheur ou mon étonnement.

Ce 4 mars, j'ai décidé que je ne cesserais jamais de retourner en Haïti lorsque les autres personnes gelées envahiraient la Floride. J'avais passé ma vie aux côtés de Blanche sans avoir la moindre idée de ce qu'elle était devenue. Je me suis bien gardé de m'en ouvrir par crainte d'être taxé de souffrir d'une fêlure de l'émotif. La psychologie devenait très à la mode et je conviens qu'aimer une femme toute sa vie *in absentia* peut paraître bizarre. Je me demande si vivre avec une femme qu'on tolère et qu'on fuit est meilleur aux yeux de Dieu. Mon idée est complètement de revoir, peut-être bien de rétablir mon rapport avec le mariage, auquel je crois plus que tout au monde sans avoir jamais pu recevoir ce sacrement.

Ce retour au Québec a été d'un terrible inconfort. J'ai vainement cherché le nom de Blanche Pronovost dans le bottin téléphonique. Savoir qu'elle était peut-être tout près sans pouvoir la revoir a commencé à me turlupiner. Mon amour avait atteint sa maturation plus que complète et je voyais qu'il tutoierait la pourriture sous peu.

Afin de lui éviter ce sort non mérité, j'ai continué à combler les absences de prêtres pour officier dans les églises de plus en plus désertées. Je suis retourné en Haïti à l'été et tu connais la suite.

J'ai du mal à continuer cette lettre puisque je me demande si je saurai trouver les mots pour dire le merveilleux et le douloureux.

Je suis arrivé à L'Avenir sur les chapeaux de roues, mes vêtements de tous les jours heureusement cachés sous ma soutane blanche. Un baptême m'avait appelé dans cette paroisse de Saint-Pierre-Apôtre. Je sais gré à saint Pierre de m'avoir pardonné mon infidélité.

Je cherche comment te dire le choc ressenti en voyant la grand-maman aux yeux bleus que j'aurais reconnus même de nuit, ses cheveux autrefois longs, parfois noués, maintenant courts et blancs, son teint d'albâtre et sa voix… J'ai fermé les yeux pour les rouvrir rapidement afin de me convaincre que j'étais bel et bien vivant et non mort de désespoir. Nous sommes tous les deux devenus statues aux traits livides, avant de sourire. J'aimerais que quelqu'un me montre les photos de ce double baptême parce que je n'en garde aucun souvenir autre que son parfum.

Les enfants ont bel et bien été exorcisés, bénis et baptisés, mais je crois avoir immédiatement su que je venais d'officier à mon dernier sacrement. Sitôt la cérémonie achevée, j'ai remarqué que le grand-papa avait, lui, une tête d'enterrement. Je l'ai tiré à l'écart et lui ai dit : « Si vous l'aimez vous aussi, monsieur, nous aurons été trois hommes à le faire. Moi le premier, son mari ensuite, et maintenant vous. Malheureusement, contrairement à la parabole, je crois que le dernier convive ne sera pas servi. » Avec son bel accent d'Europe, il m'a dit : « Je ne m'en suis jamais ouvert. Allez en paix. » Quelle charmante bénédiction.

Blanche et moi nous sommes partis, Blanche et moi, nous sommes partis, nous sommes partis, nous. J'avais attendu ce « nous » pendant trente-trois ans. Nous avons parlé pendant des heures bleues et des heures noires, des heures soleil et des heures lune. Nous avions deux vies à raconter. Il nous a fallu peu de temps pour comprendre que son deuil, des plus douloureux, venait de prendre fin dans mes bras, mon célibat et mon pucelage, dans les siens.

Tu sais que j'ai été laïcisé et que nous avons pu nous marier à l'église. Ce que tu as omis de mentionner, c'est que j'ai fait venir Dieudonné pour qu'il me serve de père. De toute beauté, cette noce avec mon Dieudonné, monsieur Philippe et sa famille, dont Wilson et Dany.

Nous sommes partis à Port-au-Prince en voyage de noces, et laisse-moi te dire que la fête, une fois la surprise passée, a été extraordinaire. Laisse-moi te dire aussi que Blanche a demandé à son cordonnier de nettoyer sa trousse médicale de cuir et qu'elle l'a emportée remplie de gazes, de diachylons, de médicaments ainsi que deux autres de ses valises.

J'ai été forcé de mettre deux nuits complètes à explorer son corps. Je l'ai fait tellement en profondeur que je crois avoir touché à son âme. Nous avons beaucoup pleuré en pensant à ces années passées en compagnie du veuvage. Dix-sept ans que nous aurions pu vivre ensemble. Mais le hasard fait assez bien les choses, quand même. Nous sommes revenus en Haïti œuvrer quatre mois par an pendant onze ans. Puis Blanche et moi avons eu nos soixante-quinze ans. Élise, comme tu sais, a épousé Wilson et ils nous ont donné deux beaux enfants miel. Je dis « nous » parce que la Providence a eu la bonté de faire de moi un quasi-grand-père. Mes parents en auraient été ravis. La Providence a été généreuse aussi parce que les placements de mon père sont venus à terme en 1985. J'en ai remis un tiers aux OMI[2], un tiers à la mission haïtienne, et le dernier tiers a servi à subvenir à nos besoins et à ceux des enfants d'Élise.

C'était sans compter que la santé allait commencer à nous fausser compagnie. Blanche, ma belle Blanche, mon amour de toujours, a fait de la démence. Pendant quinze ans, dont sept en centre hospitalier, je n'ai cessé de l'aimer malgré les ravages de la maladie. Pendant sept ans, tous les soirs, j'allais la rejoindre à l'hôpital pour la bercer, toute petite, toute fragile, en lui racontant la vie qu'elle avait connue et la mienne qu'elle avait apprise. Curieusement, ses derniers souvenirs auront été ceux de nos amours de jeunesse.

---

2. Oblats de Marie-Immaculée.

D'Haïti, elle n'a apparemment gardé aucun souvenir de la moiteur, du parfum ni de la couleur. Elle est morte à quatre-vingt-six ans. Quant à moi, je ne connais toujours pas la date de ma mort puisque tu ne m'as jamais tué.

Je flotterai toujours dans l'éternité.

Je t'embrasse,

Napoléon Frigon,
pour qui tu as inventé la plus belle des vies.
x x x x

Hôpital Notre-Dame, Montréal
1er janvier 2000

Chère Arlette,

Il y a des fois que je regrette d'être morte trop avant mon heure. Quand j'ai su que ma Blanche, ma meilleure amie, non, ma seule amie, avait eu trois filles puis que t'étais son bébé, j'en ai perdu sans connaissance. Peux-tu m'entendre rire? C'est impossible d'imaginer les rêves que ta mère avait. Moi puis elle, on voulait être les meilleures gardes-malades du monde. On était les seules à empeser nos uniformes, savais-tu ça, le trouble qu'on se donnait? C'est sûr que c'était froissant, plus que du lin même, mais t'aurais dû nous voir aller quand on arrivait sur les étages, fières-pet dans nos robes tellement empesées que nous autres on les entendait craquer. Je te mens pas. Après une ou deux semaines, on a arrêté d'empeser les collets parce que, c'est pas mêlant, ça nous coupait le cou! C'était plus difficile à faire, mais ça nous a permis de cesser de mettre de la vaseline sur nos saudites de grosses rougeurs de frottement. Tous les soirs avant de se coucher, fatiguées pas fatiguées, on mettait le liquide blanc sur nos chaussures, on lavait nos uniformes, pas pour le lendemain mais le jour d'après, nos culottes, nos bas blancs – les miens m'avaient coûté moins cher que ceux de Blanche, qui étaient tissés plus légers –, mais on lavait pas nos jupons puis nos brassières. Ça, on faisait ça une fois par semaine.

Je me sens un peu niaiseuse de te parler de ça, mais c'est à cause de nos uniformes qu'on est devenues amies. Moi puis ta mère, on était trop pauvres pour avoir plus que deux uniformes, puis si on les tachait (laisse-moi te dire qu'une aiguille qui rentrait mal quand on faisait une prise de sang, ça pouvait pisser, ça, madame, puis le sang c'était dur à faire partir, il y a pas une femme qui sait pas ça), il fallait avoir du rechange. On s'est rencontrées dans la buanderie, en tout cas, mon rappel puis celui de Blanche sont pas pareils, mais c'est pas grave.

À partir du jour où on est devenues des amies, la vie à Montréal nous a été endurable. Elle venant de Saint-Tite puis moi d'une campagne encore plus creuse, au Lac-Saint-Jean, où on avait l'impression de voyager dans les livres de Jules Verne. Je fais ma fraîche en disant ça, mais je voulais que tu saches que j'en ai lu deux, *Le Tour du monde en quatre-vingts jours* et *Cinq semaines en ballon*, que

Blanche m'avait fait avaler de force. Moi, lire, c'était pas facile, déjà que ça prenait tout mon petit change pour étudier. Puis lire quelque chose qui se passait en ballon, même juste en mots, ça me donnait le vertige puis mal au cœur. Blanche disait que j'étais trop sensible et que c'était sûr et certain que j'aurais jamais monté dans un de ces aéroplanes qu'on entendait de plus en plus péter dans le ciel. Non, madame. Moi, je suis née sur le plancher des vaches, et compte pas sur moi pour aller sur l'eau ou dans les airs. Ben, je dis ça, mais crois-le, crois-le pas, comme l'hôpital est devant le parc La Fontaine, ta mère a décidé qu'on pourrait aller se promener là et en profiter pour faire un tour de bateau sur le lac. « Es-tu folle, que je lui ai dit, tu vas me tuer, à moins que… » J'ai eu une idée. Mon père avait des chevaux, et quand on les domptait et qu'ils étaient nerveux, on leur cachait les yeux. J'ai apporté un foulard, j'ai dit : « Tiens-moi » quand on est embarquées, je me suis assise dans la chaloupe, j'ai mis mon foulard sur mes yeux, je me suis croisé les bras et puis j'ai prié. Je dois admettre que de me faire bercer un peu par les petites vagues, je trouvais pas ça déplaisant.

J'avais de la misère à l'école et, si ça avait pas été de ta mère, j'aurais plié mon bagage, moi, puis je serais rentrée au Lac en pleurant puis en courant à part de ça. On aurait dit que mon

cerveau avait pas assez de place pour des nouvelles affaires. Ta mère, elle, souriait pendant les
cours, tout excitée d'apprendre quelque chose de
neuf. Saudite affaire, moi le talent sans fond, je
connais pas ça. Je voulais la suivre, mais nos mon-
tures étaient pas pareilles. Ta sainte mère, c'était
forcément une sainte pour endurer mes questions
puis pour me répéter les réponses minimum cinq,
maximum mille fois, m'a dit : « Compte sur moi,
Marie-Louise, on va avoir nos diplômes le même
jour. » Ma seule force, moi, c'était de faire rire,
elle comme les sœurs puis les patients. Ma mère
avait toujours voulu me crucifier parce que j'étais
une girouette qui parlait tout le temps à part de
ça, mais dans un hôpital, une pipelette qui sautille
d'une chambre à l'autre, d'un patient à l'autre
et qui est capable de faire rire une personne qui
souffre, ça éloigne l'idée de la morgue. Ma seule
force me faisait lever la nuit, des fois, pour monter
aux étages voir si madame Racette avait réussi à
s'endormir ou si monsieur Leroux était encore
de ce monde. Moi puis Blanche, on s'inquiétait
pour nos patients, mais je dirais moi encore plus,
pas parce que j'étais meilleure qu'elle, mais parce
que, moi, j'avais enterré mon père.

À chaque examen, je mourais, mais la Blanche,
elle, trottait dans la salle de cours. Elle avait des
notes fortes, moi des notes si basses que je pense

qu'elles sont tombées en bas de la table direct dans les craques du plancher. Rien n'empêche qu'à chaque saudit examen elle me tenait la main parce que, je te jure, j'aurais pu faire un choc vagal. C'est plus médical de dire ça de même plutôt que « perdre sans connaissance ». Quand je suis pas dans l'hôpital, j'aime mieux le dire à ma manière.

Puis l'impossible est arrivé. Blanche avait un frère, ton oncle Paul. Pour Paul, tu sais, j'aurais été prête à perdre mon âme pour l'entendre dire qu'il m'aimait. C'était peut-être trop prétentieux de ma part de penser qu'il pouvait m'aimer plus que le Seigneur. C'est comme si, sur les marches du paradis, il y avait eu Marie-Louise en haut du trône de Dieu.

Paul m'a appris toutes sortes d'affaires que j'avais jamais pu imaginer. Comme l'envie folle de faire un enfant juste pour voir des yeux beaux comme les siens. Puis sa bouche, un péché, et pour m'en rapprocher puis la frôler, j'aurais croqué dans sa pomme d'Adam. Pas mieux qu'au paradis terrestre, moi. On dirait que j'ai rien appris du fruit défendu. Je le voulais, Paul, à moi pour la vie. Je le voulais, Paul, pour en prendre soin, de jour, de nuit, tout le temps. Pour lui donner mon âme à aspirer, mon corps, pas des plus beaux, à toucher partout jusque dans le nid. Je l'aimais, Paul.

Je suis certaine qu'il aurait pu me faire la cour en latin, pour qu'on se parle en prière, à genoux l'un devant l'autre, les mains dans les mains, mon regard plongé si creux dans le sien qu'il aurait pu se noyer dans les frissons de mes larmes.

Je me suis demandé si l'amour impossible pouvait faire encore plus mal que l'amour. Connais-tu ça, toi, l'amour qui fait peur juste à l'idée qu'il peut se taire, qu'il peut disparaître? Moi, le seul amour que j'ai connu, c'est l'amour impossible. Ça fait que c'est mon beau Paul qui a vu mon amour disparaître. Pour de bon. Pour de mal aussi. Si tu m'avais donné un mois, peut-être deux de plus, je suis certaine que je l'aurais traîné au pied de l'autel puis qu'on se serait promis toutes ces affaires d'amour, impossibles à imaginer.

Je te l'ai jamais dit, mais j'aurais aimé ça être une protestante, le bon Dieu va me pardonner de l'avoir dit si c'est vrai qu'il est bon, mais si j'avais été protestante j'aurais jamais eu de péchés véniels ou mortels à confesser. Imagine. On aurait pu se tenir par la main en entrant dans une chambre. On aurait pu être gênés de se voir tout nus, puis explorer ce qui dépassait sans en faire toute une histoire à confesser. Je lui aurais permis de me toucher les seins, puis les mamelons avec ses mains, ses lèvres, sa langue si c'est ce qu'il avait voulu, sans dire de prière pendant qu'il le faisait. Juste, tu sais, sentir sa langue me chatouiller comme un joueur de flûte lui chatouille le bec pour la faire chanter. Je sais ça parce qu'un de mes frères jouait de la trompette.

. Il y a quand même plein d'affaires que j'ai jamais su. Toi non plus d'ailleurs. Je me demanderai tout le temps de mon éternité à quoi ça ressemble de voir disparaître ses orteils, cachés par un gros ventre plein de son bébé. On saura jamais, toi puis moi, la douleur de la naissance, hein ? Penses-tu qu'elle est plus grande que celle de la mort ? En tout cas, madame Racette a souffert un martyre quasiment aussi pire que celui de la nouvelle sainte du calendrier, Jeanne d'Arc.

Avoir eu un enfant de mon Paul, j'aurais passé ma vie à le regarder. À chercher ses qualités en essayant de pas voir mes défauts. J'imagine que c'est ça, avoir un enfant. Se reconnaître un peu dans une autre personne, mais surtout reconnaître celle qui a donné la moitié d'elle-même en cadeau. J'aurais pas vraiment cherché à me reconnaître, j'ai déjà assez de m'endurer. Mais si, dans le carrosse, j'avais poussé un petit Paul en aube blanche plutôt qu'en soutane noire, un petit Paul sans ses grosses lunettes noires en écaille de tortue, un petit Paul pétant de santé pour venger son père de son méchant diabète, j'aurais créé trois éternités. J'aurais servi à quelque chose. Si seulement j'avais été protestante, j'aurais tellement mieux dormi. Mais je suis catholique et je me demande déjà si je dois me confesser de ces pensées-là.

Paul aura été mes rêves et toutes mes pensées protestantes. Avoir su que tu me ferais une vie écourtichée, je me serais pas gênée, je te prie de me croire. Je l'aurais emmené et je lui aurais caché les yeux pour pas qu'il ait peur du péché et pour pas qu'il soit gêné pendant que j'aurais déboutonné sa saudite soutane, bouton par bouton, et que je lui aurais enlevé son col romain. Je sais pas si les prêtres ont les mêmes dessous que ceux de nos patients, mais je les aurais enlevés sans trop regarder. Après ça, je l'aurais fait asseoir sur le rebord du lit et j'aurais dirigé ses mains comme celles d'un aveugle, tu sais, jusqu'à ce qu'on se couche. Là je lui aurais enlevé son bandeau et la première chose qu'il aurait vue, c'est mon sourire avec *amour* écrit dessus.

Moi puis Blanche, on allait souvent voir sa sœur Marie-Ange, les dimanches quand on travaillait pas et qu'on avait fini nos corvées. C'était pas assez souvent, mais c'était plaisant. Ça nous faisait comme une petite famille loin de nos chez-nous. Une des belles fêtes qu'on aura eues aura été le jour de la première communion d'Aline, la nièce de Blanche, mais ça tu le sais. Paul était là aussi, mais on le savait pas avant d'arriver. J'ai pas rêvé, non j'ai pas rêvé, mais Paul a souri et il est venu me souhaiter la bienvenue. Il m'a tendu la main, a serré la mienne pas mal fort pour que je comprenne qu'il le faisait comme une espèce de battement de cœur. Fort, moins fort, fort, moins fort. J'ai pas rêvé. Je pense qu'il venait de me dire qu'il m'aimait, lui aussi. Après il a desserré et laissé glisser ses doigts tout doucement en chatouillant presque ma ligne de vie. J'ai pas rêvé.

Se retrouver à table avec Aline, la nièce de Blanche, qui venait juste de faire sa première communion, c'était un grand moment de bonheur. Blanche lui a donné une montre, moi, une médaille de sainte Jeanne d'Arc, et Paul, bien Paul une bénédiction, mais je sais pas si elle était encore bonne. Aline était belle comme une mariée et je l'ai presque jalousée. J'aurais aimé ça une robe blanche moi aussi. Ah, j'aurais même mis une robe de tous les jours avec un tablier si c'est ce qu'il avait fallu faire pour enfiler une alliance.

Si je me rappelle bien, Paul nous avait parlé des misères qu'il avait tout le temps parce qu'il avait pas de santé. C'est pas drôle, quand on veut être prêtre, de se faire dire qu'il faut pas avoir de défauts. Il y a plein de malades dans l'Évangile, et Jésus les guérit ou les ressuscite s'ils meurent.

Jésus, il savait ce qu'il fallait faire. Pendant que Paul nous racontait toutes ces affaires tristes, moi je mangeais un bon bouilli et je mastiquais ma colère parce que ce que je comprenais, c'est que les prêtres voulaient pas s'occuper de lui. Où est-ce qu'elle était, la charité chrétienne? Si les prêtres veulent pas s'occuper des jeunes prêtres malades, ils vont se retrouver avec un paquet de vieux prêtres malades puis pas de jeunes pour en prendre soin.

Bon, là j'ai menti. Ça faisait un peu mon affaire que les prêtres veulent pas de lui parce que moi je le voulais à tout prix. J'avais compris, à ce moment-là, que c'était vraiment la vie que je voulais. Mariée avec Paul à m'occuper de lui et de nos enfants. Une vie de rêve. Une vie dans mon caractère. Puis si ça avait été sur une ferme, encore mieux. L'aumônier arrête pas de nous dire que les voies du Seigneur (les voix du Seigneur? Saudit, je sais pas comment l'écrire) sont impénétrables. Mais je sais que le Seigneur aurait voulu que je m'occupe de mon monde. Point final. Paragraphe.

On est rentrés en petit char, mais Paul puis moi on est descendus à Fullum pour marcher un peu, tout seuls. Blanche était pas choquée de ça. Le soleil était pas encore couché puis on voyait des bourgeons dans les arbres. Une fois, la main de

Paul a touché la mienne puis, là, moi j'ai frôlé le choc vagal. On voit pas ça dans les livres de médecine qu'une main qui accroche la nôtre ça peut nous sécher la bouche, nous essouffler en même temps que ça nous remplit les yeux de larmes. On apprend pas ça. Moi je me dis que ceux qui ont écrit ces livres-là c'étaient pas des femmes, oh non. Encore qu'il aurait fallu plus qu'une femme médecin dans l'hôpital. En tout cas, si ça avait été toi qui l'avais écrit, on en aurait entendu parler.

C'est drôle à dire, mais Paul puis moi on parlait en sous-entendus comme si on pouvait pas parler direct. Par exemple, je lui ai demandé s'il aurait aimé vivre à la campagne. Il m'a répondu : « J'ai déjà habité la campagne. » Qu'est-ce que je devais comprendre moi dans cette réponse-là ? Il connaissait ça, ça serait facile, ou il connaissait ça et voulait vivre en ville ? J'ai dit « Ah », comme si j'avais compris quelque chose, mais je savais toujours pas s'il aurait aimé vivre à la campagne. On croise une fille avec une grosse fleur sur son chapeau de paille qu'elle a dû acheter pour Pâques.

« Aimes-tu ça, une fleur comme ça ?

— C'est la mode », qu'il me répond.

Je pouvais quand même pas lui demander : « Aimes-tu la mode ? » Mais on avait d'autres sous-entendus qui étaient clairs comme de l'eau de roche. Tous les deux, on aimait les gens qui pensaient aux autres, qui voulaient aider, donner de leur temps, comme une garde-malade, comme un prêtre. C'était pas une coïncidence, ça. Nous avoir entendus, Blanche aurait fait un petit non de la tête pour me dire que, franchement, on n'était pas tellement délurés pour pas comprendre ça.

De sous-entendu en sous-entendu, on est arrivés à la rue Champlain. Il m'a escortée jusqu'à la porte sur le côté, près du tennis, plutôt que de me laisser à celle sur Sherbrooke. Là, on est restés plantés en face à face, à pas dire ce qu'on aurait voulu dire. Moi, je voulais lui crier de pas partir, mais j'ai dit: « À une prochaine... peut-être. » Il a répondu « À bientôt » et puis il est parti. C'est quand, ça, bientôt? J'aurais voulu qu'il me prenne encore la main en battement de cœur, mais j'ai cessé d'y penser parce que je me suis dit que, si j'avais pas rêvé, il avait fait un péché, certainement mortel, et qu'il devait avoir son âme catholique tout à l'envers dans le péché.

Blanche était complètement folle. Un samedi, elle m'a dit qu'elle voulait me faire une surprise et on est parties en tramway jusqu'à la rue Bélanger. Elle voulait que je voie le cinéma Le Château, qu'on venait de construire. Je lui ai dit que je trouvais ça beau, mais que pour moi, le cinéma ou le théâtre, c'était pas dans mes finances. Elle m'a répondu qu'il serait grand temps qu'on sorte un peu, quitte à ce qu'elle prenne un peu plus de repassage. Là, j'étais redevenue catholique en lui rappelant que tous les acteurs d'une pièce immorale jouée au théâtre Saint-Denis avaient été arrêtés par la vraie police, il y avait quelques années, avant même d'être montés, grimés puis costumés, sur la scène décorée. Avant même qu'ils aient ouvert la bouche pour dire que c'était correct de coucher avec quelqu'un avant de se marier. C'est sûr que j'ai dit que ça se faisait pas, même si je viens de dire que le contraire pouvait être correct. Le pire, c'est qu'ils avaient déjà dit tout ça dans plein d'autres villes du Québec que j'avais jamais même vues. Il y a deux façons de dire. Quand j'ai dit que c'était correct, c'était de ma pensée que je parlais. Les acteurs, eux autres, récitaient des vrais mots écrits, appris par cœur. Faudrait pas penser que je pense toujours droit.

En revenant, Blanche m'a demandé si j'aimerais pas mieux voir un film parlant. Là, j'ai dit oui, c'est sûr. Je voulais voir ça. Blanche puis moi, on est allées au cinéma voir le film parlant français qui s'appelait *Les Trois Masques*. C'était l'histoire d'un gars, Paolo, qui aimait une fille, Viola, qui lui a fait un enfant sans mariage et que les frères de la fille voulaient lui venger l'honneur. Ils tuent Paolo, le ramènent à son père, qui pense tout simplement qu'il est soûl. Son père lève son masque et voit qu'il est mort. Le pauvre père est trop triste. J'ai quasiment crié quand j'ai vu qu'il était mort. Blanche, elle, m'a serré le bras. C'était quasiment la même histoire immorale qu'au théâtre. Mais au lieu de me scandaliser, moi j'aimais l'histoire d'amour. J'aurais même pas résisté si Paul avait fait comme un paquet de couples, assis devant nous autres, qui s'embrassaient à pleine bouche ou descendaient si bas dans les bancs qu'on était en droit de se demander où ils étaient passés et ce qu'ils faisaient.

Heureusement que notre vie était pas aussi compliquée que celle de Paolo. On étudiait, on prenait soin de nos malades, on faisait notre petite brassée tous les soirs, Blanche faisait ses repassages et je sais qu'elle était pas contente que tu parles de ça. Quand on voulait vraiment, vraiment se récompenser, fêter sa fête ou la mienne, on allait au Ritz. Mais ça aussi tu le savais. Mais savais-tu que Blanche m'avait prêté une de ses robes pour que j'y aille? Tu l'as jamais su, c'est certain, parce que tu en aurais parlé. J'étais allée là, avec sa belle robe de velours avec un collet de dentelle et des savates trouées. Ta mère l'a remarqué juste comme on entrait dans le hall. Elle m'a dit: « Souris, Marie-Louise, souris. » On a tellement ri. C'était ta mère, ça, aider sans dire un mot. Se priver en souriant, aussi. Être la meilleure amie du monde. À partir de ce jour-là, on y est toujours allées avec notre uniforme, notre coiffe et notre belle cape.

Blanche m'a dit un jour, quand notre amitié était assez vieille et vraie pour prendre des confidences, qu'elle avait repoussé un fiancé. Blanche, amoureuse. J'étais pas insultée qu'elle m'en ait jamais parlé, non. Je me suis dit qu'elle avait certainement eu tellement de peine qu'elle avait eu peur d'ouvrir ses cicatrices, comme on voyait des fois à l'hôpital, des plaies qui ouvraient et recommençaient à saigner. Je l'ai jamais vue pleurer. Moi je suis une braillarde. J'ai braillé quand madame Racette, monsieur Leroux puis pas mal d'autres patients sont morts. Je suis même allée à des funérailles. Je m'attachais à tout mon monde, moi, même à mes vieux chialeux. Ta mère disait qu'il fallait que je m'endurcisse, que ma vie de garde-malade serait difficile si je pleurais pour un oui puis pour un non. Elle m'avait vue pleurer la mort de Paolo, au cinéma. J'avais pas répondu à ça parce que je sais pas encore ce que j'en pense. En fait, tu m'as tuée avant même que je sache ce que j'en pensais. Saudite affaire.

T'as jamais parlé de ça, les docteurs, les gardes-malades, même les aumôniers qui donnent les derniers sacrements et voient les gens expirer, partir pour, on espère, un monde meilleur. T'as jamais parlé de ça. T'as jamais dit qu'une personne peut mourir de peur pendant que l'autre meurt en souriant ou en dormant. Non, jamais. Je me demande pourquoi. Le sais-tu, toi? Je vas te poser une question, mais t'es pas forcée de répondre. Est-ce à toi que Blanche a rendu son dernier souffle?

Bon, écoute, j'aime mieux parler des belles affaires. Moi puis Blanche, on a commencé notre dernier hiver avant de rentrer chacune chez nous se chercher du travail chez les docteurs ou dans les hôpitaux. Blanche, elle, avait pas l'air pressée de quitter les cours, les classes, l'hôpital. Ni elle ni moi on avait envie de rentrer chez notre mère. Moi parce que ma mère ne sait plus quoi ni comment faire depuis que mon père est mort. Ça fait des années qu'elle tourne en rond et j'ai pas envie qu'elle m'entraîne avec elle sur son calvaire qu'elle voit comme un carrousel. Blanche, elle, parce qu'elle avait envie d'autre chose, comme du service privé. On avait l'esprit dans l'eau bouillante tellement le temps filait et qu'il fallait penser aux examens.

Le moment était mal choisi pour m'apprendre que Paul allait quitter la prêtrise. Mon esprit est parti par ma fenêtre de chambre. J'aurais aimé qu'il vienne me le dire lui-même, mais Blanche m'a expliqué que c'était une véritable reddition pour lui, c'est ce qu'elle avait dit. Il avait étudié pendant des années et des années et, si j'ai bien compris ce que Blanche osait pas dire, il avait toutes les misères du monde à se voir ailleurs que devant un autel ou assis dans un confessionnal. Il aurait dit que sa vie avait coulé comme le *Titanic* et qu'il s'était pas vu parmi les survivants. Mon Paul avait perdu son allant et je ne pouvais même pas le bercer en faisant chhhut. Je ne pouvais même pas souffler sur ses bobos de rêves.

J'étais comme en peine d'amour quand on est retournées chez Georges et Marie-Ange. Blanche était heureuse de voir Aline, et moi aussi. C'était une de ces journées d'hiver de soleil froid accroché dans le ciel comme une parure. On a passé le temps à jouer aux cartes, à parler des merceries de Georges qui vendaient de moins en moins. Ça n'empêchait pas Georges de taquiner Marie-Ange. Moi puis Blanche, on est sorties avec Aline qui nous disait qu'elle aimait ça faire des nuages par sa bouche ou par son nez. Blanche, toujours maî-tresse d'école même en uniforme blanc, lui expli-quait que ce n'étaient pas des nuages, mais de la buée. « Non, ma tante, qu'Aline lui a répondu. Je fais du froid pareil comme les dragons font du feu. » On l'aimait donc, cette enfant-là.

Paul est jamais venu et on est rentrées à l'hô-pital pour le souper. On était dans le tramway quand Blanche m'a parlé de son fiancé Napo-léon, qui était beau comme un dieu et qu'elle avait laissé tomber. On se connaissait depuis trois ans et c'était la première fois qu'elle me parlait comme ça. Ça me faisait drôle de penser qu'elle avait laissé tomber son fiancé qu'elle aimait aussi fort que moi j'aimais Paul, pendant que moi je savais plus quoi faire pour qu'il m'aime, même si c'était juste un peu.

« L'amour a toutes sortes de visages, que Blanche a ajouté. C'est comme pour Georges et Marie-Ange, un jour ils vont se marier. »

J'ai à peu près oublié qu'elle est descendue à Papineau. Moi j'ai continué jusqu'à Amherst. Ils étaient pas protestants et ils étaient heureux. Est-ce que c'était à ça que ça ressemblait, un péché mortel ? Je pleurais en pensant que c'était possible pour moi puis Paul si c'était possible pour sa sœur. Le soleil avait décidé de me réchauffer avant de se coucher.

C'est là que toi t'as choisi de me faire passer en dessous d'un tramway. Saudit.

T'as jamais écrit que j'avais repris conscience, des instants, de temps en temps. J'ai vu la chambre d'hôpital. J'ai vu Blanche, allongée sur le lit d'à côté. J'ai quasiment senti la chaleur de son sang qui se mêlait au mien. On est devenues des sœurs de sang. Puis je l'ai entendue pleurer plus fort qu'un cri. « Blanche, regarde au-dessus de toi, je vole dans la chambre. Blanche. J'ai compris ce que le docteur t'a dit. Ça a pas marché. On n'a pas pu être des sœurs de sang. »

Je pense que j'ai virevolté pendant un bon bout de temps avant de lui serrer la main en cœur comme Paul m'avait fait. « Dis-lui adieu pour moi », que je lui ai demandé avant de lui donner un bec sur le front et de partir pour quelque part, un suaire blanc sur les épaules.

Marie-Louise Larouche,
et Pronovost dans mon cœur, en toute bonne conscience

Je ne sais pas du tout où je suis, alors choisis le lieu
et la date que tu voudras. Côme aurait dit « Je n'en ai rien
à branler » – il avait, dans l'intimité, ce côté vulgaire des plus
déplaisants –, affichant toujours le fond de sa pensée.
Pardonne-moi cette impolitesse et ce manque de respect,
mais je suis super archi mal à l'aise dans ce rôle
de personnage.

Chère Arlette,

Qu'est-ce que je suis venue faire, bébé de la guerre, dans un de tes projets schizophréniques s'il en est, dis-moi? Oh là là...

Tu m'y dis des vérités mensongères et des mensonges qui sonnent plus vrais que de vraies vérités. À s'arracher les cheveux. En ce qui me concerne, et surtout n'essaie pas de barbouiller quoi que ce soit, je te remercie quand même de m'avoir faite douce et naïve, bien que ce ne soit pas toujours vrai. Je te remercie surtout de m'avoir faite mère de deux amours de jeunes filles et de deux bébés miel, cadeaux de l'amour de ma vie, Wilson.

Sais-tu, j'ai envie de te dire les choses en commençant par la fin, parce qu'elle est heureuse... enfin!

Y a-t-il des mots pour décrire l'état de béatitude et d'éternelle reconnaissance qu'on éprouve envers la vie, chaque matin qui vient nous éveiller?

Peut-être que ce sont ceux-là. Wilson, mon amour infini, est un dieu en « d » minuscule, tombé devant moi, les oreilles écrasées par sa casquette. Je m'en souviens comme si c'était hier, mais on s'en reparlera, peut-être. Nous avons tous les deux décidé que nous serions des amoureux d'abord, en vue de ces jours où notre progéniture quitterait la maison. En fait, nous avons été des amoureux tout le tour, l'un de l'autre, des enfants de l'autre, Dany, Violaine et Viviane, ce qui allait de soi, de nos « nous », Delphine et Clovis-Émile, et de nos « eux », papa, maman et Napoléon, monsieur Philippe et Whillelmine, Marcel et son Anne-Marie qui a comblé jusqu'à sa mort le vide laissé par ma belle-mère, la mère de Côme, Amélie.

J'ai enfin trouvé avec Wilson le calme après la tempête que m'avait imposée la vie sans que je fasse de vrais choix. J'ai toujours eu le sentiment de marcher à contre-courant même si je savais que je portais des héritages très lourds et difficiles à contourner. D'Émilie, à ce que m'a raconté ma mère, j'aurais hérité de mon goût de craie dans la bouche, du plaisir de voir des enfants affamés d'apprendre tout ce que savent les grandes personnes. J'ai échoué, par ma faute, incapable de me plier à une autorité quelle qu'elle soit. Ça, ça m'est venu en ligne directe de ma Blanche de mère qui, à mon avis, aurait préféré les espaces vides d'humains, meublés d'arbres et d'animaux sauvages où elle aurait pu être utile vingt-quatre heures par jour. Je n'ai pas le sentiment d'avoir eu une mère urbaine, non. Ma mère aura été toute sa vie un bouquet de fleurs sauvages. Je n'ai jamais réussi à le lui faire avouer, mais si mon père lui avait offert de demeurer en Abitibi, en Gaspésie – pas en Mauricie, elle aurait eu, je crois, du mal à y retourner – ou même dans les Cantons-de-l'Est, je crois qu'elle aurait accepté pour continuer à respirer l'immensité. Comment se fait-il que tu n'aies jamais dit qu'elle peignait, comme ses frères Émilien et Paul, comme ses nièces ? Ovila sculptait et a fait une famille d'amants de la couleur, où qu'elle soit et d'où qu'elle provienne. Tu devais le savoir, non ? Attends, je confonds toujours la réalité et la fiction, à commencer par le fait que je n'ai jamais vraiment existé, mais je me sens tellement vraie. Bon, je continue.

Je crois ressembler à ma mère et c'est peut-être la raison pour laquelle elle n'a cessé de me reprocher mes choix. Ma mère ne pouvait comprendre que je ne veuille pas étudier comme elle l'avait fait et sa mère avant elle. Ça, c'est un reproche qui m'énerve... quand je dis que je suis à contre-courant. Moi, j'ai d'abord voulu des enfants. Point. Des enfants, j'en voulais six ou huit. Maman ne pouvait comprendre que j'aie cherché un compagnon qui aurait financièrement supporté toute une famille. En fait, je crois lui avoir fait honte en préférant les chevaux, les fleurs et le foin aux diplômes. Je suis certaine qu'elle m'engueulait en pensée quand je rentrais de l'écurie de la rue Villeneuve en sentant le cheval en pleine ville. C'était un peu comme si je lui rappelais la famille de son père, qui n'avait de bonheur qu'à cheval, en calèche, en traîneau ou en carriole. Comment faisait-elle pour avoir oublié sa Ti-Zoune ? Je sais, elle m'a expliqué que ce n'était qu'un moyen de transport. Je crois qu'elle a lourdement menti parce qu'elle aurait pu avoir quelque chose de motorisé dans les années 1930. Lorsque je le lui avais dit, elle avait haussé les épaules et répliqué de son ton de mère qui a tout vu : « Vraiment ? Et à quel garage aurais-je mis l'essence ? Et combien de temps aurais-je perdu à faire réparer le moteur qui brisait ou ne fonctionnait pas aussitôt que le thermomètre tombait sous zéro ? » Je le concède, elle avait eu raison, mais quand on connaît les soins que demande le cheval, jamais ma mère ne l'aurait fait si elle ne lui avait parlé ou confié ses secrets et ses chagrins.

J'ai essuyé des reproches silencieux ou en haussements d'épaules, mais je sais à quel point nous nous aimions, toutes les trois.

Ma sœur Micheline, c'était ma sœur. Plus différente que nous, difficile. Une bollée, effrayant. J'imagine qu'elle aurait été une grande consolation si elle avait eu de l'allure. À nous faire damner, celle-là. Notes scolaires, parfaites. Relations humaines, au travail, je n'en sais rien, amoureuses, honteuses et amorales. Là-dessus je suis à contre-courant aussi. J'aurais été ravie et me serais contentée d'être la femme d'un seul homme. La vie m'a fait divorcer d'un mauvais choix – quasiment précurseur, moi ? Risible. Mais je m'éloigne.

J'aurais vécu toute ma vie caléchier sur le mont Royal, ou palefrenier pour les chevaux des calèches du Vieux-Montréal ou, le *nec plus ultra*, pour ceux de la police montée. Mon Poussin a longtemps été mon meilleur ami, celui de mes filles également. P'tit Poussin est encore avec nous.

Avant d'avoir vécu avec Côme Vandersmissen, j'étais loin de me douter que j'avais, jusque-là, passé ma vie à l'envers du décor de la sienne. Je l'ai connu j'avais dix-huit, et je te mentirais en affirmant ne pas avoir eu un coup de foudre assez grand pour faire une Micheline de moi, soit une Marie-couche-toi-là. Honte, tu dis, eh bien non. Aucunement. J'étais si amoureuse que je ne voyais aucun problème à vivre une grossesse. J'étais convaincue, l'épaisse, que Côme et moi c'était pour la vie et qu'il allait m'épouser.

Autant je n'ai pas de mots pour décrire mon bonheur, autant j'aurai mis du temps à comprendre que je n'avais connu que du malheur avec Côme. Je n'ai cessé de me demander pour quelles raisons la vie me punissait toujours quand j'avais aimé, en tuant mon père, en me faisant épouser le maître des trous du cul, en m'expédiant dans les rues de New York à piétiner les ordures nauséabondes de cette ville, en larmes, parce que ma sœur ne voulait pas me confier l'enfant qu'elle portait, enfant qui était le bâtard de mon mari, adultère avec ma propre sœur. Ah... la vache que ma sœur pouvait être. Tu te rends compte ? Merde de merde, comment se fait-il que je n'aie jamais rien vu ? Rien soupçonné... Quelle succession inénarrable de mouises, assenée par les gens que j'aimais.

Est-ce possible d'être conne et aveugle au point de prendre toutes les mauvaises décisions jour après jour ? En ce qui me concerne, reine de la bêtise.

Étonnamment, chacune de mes mauvaises décisions m'aura apporté du bonheur. L'infect Côme est le père des plus agréables filles du monde, et le fils de l'homme, mon beau Marcel, qui m'aura eue à l'œil pour me protéger, même contre son propre fils.

Je ne pouvais m'exorciser seule de toutes ces douleurs et de tous ces affronts. Quand j'ai quitté la maison, ce matin où elle a été imprégnée de l'odeur de l'enfer du *Bluebird*, j'ai eu trop honte pour aller chez ma mère. Je n'ai pas voulu entraîner Marcel ni Jacqueline dans mon remous.

Tu n'as pas révélé que, après une visite au cimetière de la Côte-des-Neiges pour consulter papa, j'étais allée frapper à la porte de monsieur Philippe et de Whillelmine. Les petites ont rapidement été soulevées de terre par les bras de monsieur Philippe, tandis que je sanglotais sur l'épaule de Whillelmine.

C'est fou, toute la maisonnée semblait nous attendre. De partout les bras s'ouvraient. Je reportais mon retour chez ma mère. Seule ombre au tableau, Wilson était en résidence en Abitibi, quelque chose que je n'ai jamais compris. Maintenant que j'y pense, je crois que son absence aura été un bienfait. S'il avait fallu qu'il me soit indifférent alors que je venais de me lancer dans le vide sans parachute, je ne sais si les bras de mes filles auraient été assez forts pour me soutenir.

J'apprenais donc à cuire le poulet et à y mettre du clou et du colombo. Je découvrais la mangue, que je trouvais dans des épiceries autres que les miennes. Les épiceries à la clientèle différente de

159

moi… mais dont je me délectais des vêtements de couleur et du sourire…

Monsieur Philippe et Whillelmine ne m'ont posé qu'une seule question, quelque chose comme trois semaines après mon arrivée : « Crois-tu que ce serait le moment d'inviter ta mère et Napoléon à souper ? »

J'ai acquiescé. Je ne savais que dire à ma mère, craignant qu'elle croie que je l'avais rejetée alors que je voulais la protéger. C'était sans compter les parents de Wilson, qui l'avaient non seulement informée de ma présence, mais, à mon insu, rejointe avec les filles dans un parc près de chez elle ou près de leur maison.

J'ai eu le sentiment que maman était aussi craintive de me rencontrer que je l'étais, mais Napoléon était si content de nous voir qu'il arracha les filles de terre pour les étreindre. La bonne humeur de tous, le plaisir des filles de voir leur mamie et leur papi ont mis la soirée sous le couvert d'un dôme de bonheur et de joie. Nous sommes rentrées toutes les trois chez maman et Napoléon, où, intuition ou vœu, les lits nous attendaient.

Entourée de tout ce beau monde, j'ai vendu la maison et, miracle des miracles, Wilson est entré dans ma vie par la grande porte, sans que je remarque que le bonheur pouvait être silencieux.

Encore aujourd'hui, j'aimerais comprendre comment j'ai pu confondre besoin d'être aimée et être aimée. Côme aura été tout sauf un bon compagnon, quoique bon amant jusqu'à ce que mon corps s'en lasse. Il n'a pas vraiment manifesté de tendres égards à ma grossesse. Jamais de toc toc ou de bisous à mon bedon. Nous avons quand même préparé la chambre du bébé à deux, j'avoue. Mais l'idée que, peu de temps après l'arrivée de nos deux merveilles, il faisait l'amour à cette Suzanne – nous baisait-il de la même façon ? – m'a chamboulée et, je l'admets, j'ai été humiliée par cette impensable bigamie. T'es-tu demandé où tu pouvais trouver dans ton imagination de tels sentiments si différents de toi ? Mon impression est que, bien qu'il soit ta création, Côme a dépassé ton entendement. Je comprends que tu ne peux avoir vécu tout ce que tu racontes, mais une question me taraude depuis que tu m'as inventée : as-tu vécu avec ou connu un trou du cul comme Côme ? Je sais, ça fait *people* comme question, mais crois-moi, j'ai besoin de savoir. Par contre, je suis certaine que tu as connu un Wilson. On dirait que la bonté est plus difficile à imaginer que la méchanceté.

Me faire poignarder par ma sœur a été un coup plus que bas. Je ne sais si j'aurais pu pardonner si j'avais eu une Lady MacBeth de sœur. Je ne sais réellement pas. Tu as eu la gentillesse de me faire douce et la bonne idée de me permettre de me défouler par une gifle. Pas sûre que ça m'aurait été suffisant dans la vraie vie, mais on va dire.

J'avais demandé à ma sœur d'être marraine avant d'apprendre toute l'histoire de l'immonde tricherie dont j'ai été le dindon de la farce. Ma sale sœur – je suis incapable d'écrire ma propre sœur – avait porté un bébé demi-frère de mes filles. Quelle maudite marde as-tu tricotée là ? J'espère que tu ne t'es pas inspirée de la vie de quelqu'un que tu as connu. C'est d'un écœurant pas possible.

Le pire, c'est que je me dis que, si ce bébé-là avait vécu, oui, je l'aurais pris avec nous, oui, j'aurais pardonné parce que c'est ce que tu m'aurais fait faire. Encore une autre question, chère Arlette que je ne porte pas toujours dans mon cœur, la fausse couche de Micheline était pratique pour éviter de prendre parti, mais toi, en chair et en os, qu'est-ce que tu aurais fait ? Bon, je te lâche.

Est-ce pour permettre à maman de retrouver son Napoléon que tu as tué papa ? Tu m'as fait vivre des sentiments impossibles à supporter, auxquels j'ai survécu grâce au petit train que nous avons toutes les trois créé dans le sous-sol. Dis-moi, non jure-moi, qu'il est impossible que maman ne l'ait pas aimé. Dis-moi que c'est un vrai hasard qui a ramené Napoléon dans sa vie, et pas n'importe où, chez moi! Moi, je crois au hasard, et toi, au hasard ou au destin?

Je pense que le malheur est utile à la création. La bonne entente père-fille n'aurait pas survécu au temps. Papa et moi, nous avions des âmes clones. Papa et Micheline, des âmes jumelles. Papa et maman, des âmes sœurs. Il n'a pas vécu assez longtemps pour que je le déteste. Il est demeuré et demeurera mon idole même s'il est l'artisan de mon malheur. Fabuleux, ça. L'artisan de mon malheur. Tu me crées pour me précipiter dans ce gouffre infernal de la douleur sans pardon de la vie d'orpheline. Était-ce vraiment utile, comme disait maman? C'est lui qui m'a expédiée chez les Vandersmissen pour que j'apprenne la campagne, les animaux, l'agriculture. Pour que je connaisse la générosité et la beauté de la terre. J'espère que tu te souviens que ton Émilie détestait tout ce que j'ai aimé. Comment peux-tu inventer une chose et son contraire? Malade, ça. De plus, mon père m'a mis Côme dans les pattes.

Je veux simplement te rappeler la douloureuse mort de papa. J'en ai tellement souffert, tu ne peux imaginer. Cette douleur se compare possiblement à ce que j'ai ressenti en voyant maman disparaître derrière le mur des souvenirs. Une Alice au pays des merveilles à l'envers. Maudit Alzheimer! Dès que maman passe le mur du souvenir, elle est partout sauf au monde des merveilles parce qu'elle le cherche en permanence. Quand ses souvenirs se souvenaient encore, elle riait de son retour en Mauricie et ne se laissait pas atteindre par leur pauvreté. Quand ses souvenirs se souvenaient encore, elle habitait avec tout son monde qu'elle avait aimé : Paul ou Marie-Louise, Aline ou le petit Noël auquel elle avait enseigné. Quand ses souvenirs se souvenaient encore, maman pouvait sourire indifféremment à son Clovis ou à son Napoléon. Dès que ses souvenirs se sont éteints, les liens se sont resserrés entre Micheline et moi, Napoléon et nous. Je ne t'ai pas ouvertement remerciée, mais ce Napoléon a fini la vie que notre père avait commencée.

Tu as quand même bien fait. Maman a revisité le bonheur, la joie de vivre et a pu redevenir la Blanche de l'hôpital Notre-Dame – j'ai vu la photo dont tu t'es inspirée, ce qu'elle était jolie – et vivre en Haïti à aider ces gens que Napoléon avait adoptés tant il les aimait. C'est quand même fou que ses souvenirs ne se soient pas souvenus de ce moment pourtant si important de sa vie. Le médecin m'a expliqué que c'était parce qu'ils étaient trop frais en mémoire. Là encore, quelle coïncidence ! Mon amoureux et sa famille viennent d'Haïti, mes enfants sont miel et tellement beaux.

Si tout ça est dû à l'imprévu de la création, alors je ne sais que dire. Ton cerveau doit être un cerveau insomniaque, fou furieux, coincé en permanence dans une tornade. Mais le pire, c'est que rien n'est trop beau pour être vrai. Est-ce là le moteur à quatre, six ou huit cylindres des romanciers ? Rien n'est trop beau pour être vrai... ou faux.

Élise Lauzé
Ah, et puis tant pis, je t'embrasse
x x x

P.-S. Si tu t'étais inventée de papier, nous aurions été sœurs. Crois-moi, sage décision pour te parer du destin tronqué de l'imagination.

Puisque je ne sais ni où ni quand
vous trouver, voici...
Au milieu de nulle part
en cette fin du xx⁰ siècle...

Madame Couture,

J'aurais demandé à être votre trou du cul que
je n'aurais jamais mieux réussi. Voilà. Merci
pour ce rôle de celui qu'on aime détester. Il y
aura eu votre Joachim Crête et moi. Vingt ans
plus tard, vous avez encore cherché une tête de
Turc, eh bien, je suis l'élu. Je ne pousserai l'ou-
trecuidance ni à vous contredire, ni à être d'accord avec vous. J'existe par nécessité, c'est ainsi.
Quant à mes émotions, sentiments ou ressenti-
ments, on s'en fout, on est de papier. Facile de
vous en exclure. Au nom de la création, vous vous
permettez un coup de plume pour dire : voilà le
monstre à l'ordre du jour. N'avez-vous donc jamais
compris, vous les créateurs de fantasmes et d'al-
légories, qu'à l'instant où nous nous incarnons
dans l'émotion d'un lecteur nous prenons vie ?
Que les lecteurs nous portent, nous aiment, nous
détestent, nous ignorent ou nous méprisent, peu
vous chaut – vous aurez reconnu ici mon héritage

européen, de première génération, puisque je suis bachelier d'un collège français. Vous avez créé de vrais sentiments et ces sentiments ne vous appartiennent plus. C'est à nous de les assumer, selon notre karma. Nous sommes les bernard-l'ermite de l'émotion de vos lecteurs. Nous nous logeons dans leurs cerveaux et dans leurs cœurs.

Si j'ai décidé de vous écrire, c'est pour vous faire comprendre qu'aimer n'est pas une erreur, ni une faute. Il n'y a pas un chrétien qui puisse contrôler ses émotions et faire fi de la chimie de son corps ainsi que de celle des autres corps. Nous sommes des créations chimiques, comme le sont les plantes, les fruits, les légumes que nous avons semés, plantés ou qui se reproduisent par rhizomes. Nous, les hommes, sommes là pour semer, ensemencer, la terre et nos femmes. Je n'invente rien en disant cela, j'accepte en toute humilité mon mandat terrestre.

Côme, c'est ton père qui te lit. Comment peux-tu dire de telles âneries ? C'est bien vrai que tu as un sexe qui pendouille, mais souviens-toi que tu as également une tête sur les épaules. Pardonnez-lui, madame Cousture, je suis convaincu que ce propos dépasse sa pensée.

Eh ben non, papa. Fous-moi la paix! De quel droit viens-tu t'immiscer dans ma vie? J'exprime très clairement ma pensée. Tu l'as toujours balayée de la main, mais je pense, donc je suis. Elle n'est pas de moi, celle-là. Alors, madame, où en étions-nous? Ah oui. Vous avez sciemment fait entrer dans la maison de mes parents le plus beau brin de femelle dont un mâle puisse rêver. La perfection incarnée par ce teint rosé, cette peau douce à caresser, ces traits racés, cette croupe ondulante, ce mont de Vénus à escalader, ces seins à exciter et mordiller tout doucement, ces yeux à s'y noyer, d'autant qu'elle avait la larme facile et, ma foi, troublante. J'ai toujours aimé aspirer ces larmes, lui lécher les cils et toute la joue. Elle avait le corps à nous inspirer des gamineries et des jeux de chatouilles faciles. Ah, madame, c'est sciemment que vous l'avez fait entrer, pour me troubler, j'irais même jusqu'à dire pour me torturer.

Côme, quand même, un peu de respect et de politesse. Qu'est-ce que ce procès d'intention? La création est un phénomène intangible qui échappe à tous. N'y prêtez pas attention, madame. Je suis désolé.

Mais enfin, papa, tais-toi un peu, c'est moi qui lui écris. Tu n'avais qu'à le faire, cesse d'intervenir.

Vous saviez très bien, madame, que vous ne mettiez pas un loup dans la bergerie, mais une agnelle dans la tanière du loup. Vous saviez que vous me feriez vivre l'enfer en faisant de moi un Monsieur Verdoux qui, non, n'assassinerait pas le corps, mais ne cesserait de picorer l'âme de la personne la plus vraie et la plus douce de la création. «Fonce, ma tête de Turc, sois ignoble, c'est ce que je veux que tu fasses.» Comment faites-vous, madame, pour nous remplir d'ignominieux sentiments? Vous allez jusqu'à nous demander de blesser et de faire souffrir les gens que nous aimons.

J'ai aimé Élise, profondément. Je lui ai même offert ma fragilité. Bon, d'accord, je ne lui ai pas tout dit. C'était à vous de me mettre les mots en bouche, de me dire comment dire. Mais madame s'esquive. Madame disparaît du paysage pendant que je dois me faire un fuyard irresponsable. J'ai eu horreur de fuir Élise, honte de ne pas être près d'elle quand je savais qu'elle avait de moi un viscéral besoin.

Calme-toi, Côme, ce n'est pas parce que tu avais une maîtresse que tu dois rendre madame Cousture responsable de tes défauts.

Tu ne comprends rien, papa. C'est elle qui m'a inventé une maîtresse, c'est elle qui m'a comblé de défauts. Même pas foutue de montrer qui elle était et comment je pouvais bien en prendre soin. Madame écrit qu'Élise souffrait de mes absences, mais Suzanne aurait pu mettre fin à ses jours lorsqu'elle a découvert la présence d'Élise dans ma vie. Suzanne aurait pu vouloir me punir ! Il est vrai qu'après des années de silence, de volontaire mutisme, un jour, j'ai trop parlé. J'ai parlé d'« une » grossesse. Suzanne en a été bouleversée et a versé toutes les heureuses larmes qu'elle avait apparemment retenues depuis des années. J'avais ensemencé mon Élise et voilà que Suzanne comprenait que c'était ce que je voulais pour « nous ». Quel est ce puant bourbier que vous m'avez inventé ? Vos textes pourraient être exposés au Musée de la torture de Carcassonne, madame. Les mots peuvent être aussi douloureux que les actes. J'étais là, Gros-Jean comme devant, sourire aux lèvres et larmes aux yeux. Suzanne a vu ma réelle émotion mais ne pouvait deviner la panique qui commençait à me ronger les entrailles. Vous m'inventez un magnifique amour et vous m'obligez du coup à le faire souffrir. Je ne suis certainement pas le premier à vous dire qu'il y a de malheureuses conséquences à votre métier que vous vivez impunément. Il y a quelque chose d'apparenté à la trahison dans ce que vous nous infligez. Madame fait des *hit and run,* sans P.-V., sans ticket, sans police…

Côme! Tu y vas un peu trop fort. Je…

Ne l'écoutez pas. Mon père a eu des amours, des mariages, des bonheurs, des maisons, un enfant, des deuils, et maintenant l'espoir de retrouver un amour, un mariage, un bonheur, une maison… Je ne demandais rien d'autre qu'une si simple vie. Pourquoi ne pouviez-vous pas me consulter avant de publier un tel bêtisier? Merde. Vous avez écrit mes mots, mais ne m'avez jamais permis de les dire, encore moins de les penser! Ah… les mensonges que j'ai ânonnés. Le ton qui devait changer. Tout ce que je devais taire, ou répéter à une adresse ou à une autre, un stress invivable.

On me voulait père à deux adresses, dans deux villes, avec deux femmes que j'adorais et deux chambres d'enfant aussi différentes l'une de l'autre que la Grand-Place à Bruxelles et la place des Vosges à Paris. Commerces et dentelles d'un côté, séculaire sobriété et sévérité de l'autre. Vous aurez reconnu la chambre du bébé d'Élise, toute de dentelles et de petits trains décorée.

Je rêve, Côme. Tu parles du bébé d'Élise comme s'il n'avait été qu'un accessoire de la chambre. Mais c'est ton bébé. Aurais-tu vraiment eu l'intention de faire un bébé à

Suzanne, dont j'apprends l'existence secrète ?
M'aurais-tu fait un autre petit-enfant ?
À quelle enseigne niches-tu, mon fils ?
Je n'ai pas de mots, madame Cousture,
pour vous dire combien, soudainement,
me pèse cette paternité. Il m'est trop
tard pour y donner un coup de barre.
Heureusement que Mimine n'a pu voir se
désagréger nos valeurs et nos principes.

Il y a eu ce départ d'Élise, retournée chez sa mère comme une fugueuse adolescente en manque d'attention. Je ne pouvais lui en offrir plus, vous ne m'avez pas donné assez de pages ! Mais il y avait chez mon Élise cette fascination pour la nature, ses couleurs et ses animaux. Quel régal d'avoir fait sa découverte dans le champ, dehors ! Je dois vous remercier, quand même, pour ses suaves instants. Mais il vous a fallu tout bousiller immédiatement. Dix ans de plus et elle aurait pris la pilule, et moi j'aurais eu le courage d'arrêter en pharmacie pour acheter des capotes anglaises. Vous dire mon intolérable frousse et mon tout aussi indicible soulagement lorsqu'elle m'a annoncé qu'elle n'était pas enceinte.

Autant Élise était naïve et candide, autant Suzanne était délurée et n'avait peur de rien, pas même de sa nudité, ce qui, croyez-en mon expérience, n'était pas fréquent. Rares étaient les donzelles qui aimaient baiser en plein jour. Non, bougies et éclairage tamisé étaient de mise. C'était une bonne idée que Suzanne ait été mon aînée puisqu'elle avait déjà vu disparaître un peu de sa moralité et m'a fait découvrir en quoi consistait ma virilité. Elle m'a appris l'ABC du corps de la femme. Avec Beaucoup de Câlins. Ou l'autre, Amour, Baiser le Con.

> *Pourriez-vous me dire, madame, où cette génération va chercher une telle vulgarité ? À l'entendre, il n'y aurait plus de vierges au pied de l'autel le matin d'un mariage. Est-ce possible, cette disparition de la morale et ce laisser-aller des mœurs de notre jeunesse qui compromet ainsi son avenir et le nôtre, par la même occasion ? Est-il vraiment impossible, madame, que vous et moi établissions une correspondance pour échanger sur ces incompréhensibles bouleversements ?*

Au final, Accoucher d'un Bébé pour la Continuité.

> *Ah, voilà qu'il émet quelque principe et un peu de morale. Tout n'est peut-être pas perdu.*

Papa, tu commences sérieusement à me les casser.

Chaque petite attention que Suzanne m'apprenait ou m'avait apprise était immédiatement servie à Élise, qui ne s'en est jamais plainte.

Mais pour leur être un bon compagnon et un bon mari, il m'a fallu travailler comme un nègre, user ma voiture sur les routes de campagne à faire mon métier adoré. Parce que oui, encore un merci, faire de moi un agronome a été une bénédiction. J'aurai pu seconder mes parents et leur rembourser l'énormité du coût de mes études, tant au collège Stanislas d'Outremont qu'à Sainte-Anne-de-la-Pocatière.

Je viens de dire que j'ai travaillé comme un nègre. C'était sans connaître monsieur Philippe et son Wilson de fils, aperçus à l'église le jour de nos noces. J'ai revu ce Wilson – je le concède, il est beaucoup plus beau qu'un Belge – à Montréal, lorsque je suis allé chercher Élise chez sa mère pour la ramener à la maison. Vous dire l'impudique choc que ça m'a causé. Penser qu'il pouvait y avoir eu ou y avoir un autre homme dans la vie d'Élise m'a donné une des plus inconcevables peurs de ma vie. C'est honteux et inacceptable, je le sais. Je baisais deux femmes et leur mentais sans vergogne, mais j'ai du mal à imaginer qu'elles aient pu cesser d'être miennes. Je m'entends, madame, je m'entends et je me demande sincèrement de quelle époque je sors.

Et moi aussi, je t'ai entendu. Mais d'où sors-tu ces idées d'avant-guerre ou d'avant Vatican II ? Il m'apparaît clairement, mon fils, que la seule personne à laquelle tu penses, c'est toi. La seule que tu aimes, toi. La seule que tu aides ou serais prêt à secourir, toi. Hormis ces magnifiques heures que nous avons passées dans les champs, je n'ai pas souvenir, tout à coup, que tu te sois offert pour quoi que ce soit d'autre. Les champs étaient ton habitat, ton lieu de prédilection. Mais quand as-tu accepté de faire quelque chose de déplaisant, tu sais, les courses, la vaisselle, poser un cadre, pelleter ? Je me tais. Je me rends compte que je commence à carburer à la rage. Mets fin rapidement, je t'en supplie, à cette lettre sans objet autre que toi. Madame Couture, je vous saurais gré de cesser de lire ces élucubrations et de brûler cette lettre. Il n'y a que le feu pour faire disparaître mots et chagrins.

Entends-moi, papa, je viens de dire que c'est honteux et je le penserai toujours. Mais, tant et aussi longtemps que chacune se croit ma seule et unique conjointe, est-ce que je blesse, est-ce que je prive ? Peut-être, oui, mais franchement, pas beaucoup. Chacune son tour m'a dans ses bras, chacune son tour mange avec moi, baise avec moi, prend sa douche avec moi et parfois m'accompagne au cinéma, surtout Suzanne, qui vivait tout près de L'Élysée.

Mon moi, moi, moi de fils, je prends une
pause de toi pour le moment. J'ai le front
marqué au fer rouge de la honte alors que c'est
toi qui devrais te réveiller. Pour l'instant, je me
mets en déchéance parentale pour me cacher.

D'accord, d'accord, fais ça, mais tu ne pourras pas t'empêcher de lire ce qui suit. Je vais passer tous les détails que vous connaissez bien, madame Cousture, mais que vous avez omis d'écrire. Parce que ça aurait pu montrer de moi un autre visage, sympathique peut-être, n'est-ce pas ?

Ce soir du 1er septembre 1972, ça vous revient j'imagine, j'étais à Montréal avec Suzanne. Nous sommes allés rejoindre des amis, après que la gardienne fut arrivée pour s'occuper de Marcel. C'était la première fois que nous le quittions. Suzanne n'a pas de famille. J'y pense, papa, je n'avais pas dit que nous avions eu un bébé, à peu près un an après l'arrivée des jumelles. Suzanne était enceinte quand nous baptisions les petites. Pas de famille du tout. Unique enfant de parents décédés. Une tante fantôme brouillée avec eux qui, de toute façon, les avait bannis. Suzanne m'avait donné un fils que j'ai baptisé Marcel, du nom de mon père. Oui, papa, mets ça dans ta pipe, ton petit-fils porte ton nom. Élise, elle, m'avait donné de magnifiques jumelles de la victoire, Viviane et Violaine. J'étais ravi, mais la torture devenait insupportable. J'aurais voulu emmener Suzanne et bébé Marcel à la campagne pour que nous soyons voisins à défaut de vivre sous le même toit. Tu vois, papa, leur présence aurait comblé l'absence de maman, et je sais que tu aurais pu jouer aux lointains cousins débarqués chez toi. Je n'ai jamais osé te le demander. Je crois que, si j'ai fait une erreur, c'est bien celle-là. Je nous ai tous privés, moi, toi, Suzanne, Élise et mes trois enfants. Il y a des choses qui ne se font malheureusement pas.

Nous étions au *Bluebird* – ça te revient, papa? –, et nous fêtions notre dixième anniversaire dans le Wagon Wheel. Oui, papa, dix ans. Et puis, il y a eu un feu dans la cage d'escalier. Il y aurait eu de la paille que ça n'aurait pas été plus rapide. Les filles ont commencé à crier, les hommes à crier plus fort en leur demandant de les suivre. La porte arrière était cadenassée et dans le seul escalier commençaient à s'empiler les corps. Je tenais la main de Suzanne. Nous nous étions assis le plus loin de l'entrée pour ne pas être dérangés. Quelle erreur! Nous avons tant bien que mal réussi à nous frayer un chemin, mais la fumée noire et épaisse qui commençait à sentir le roussi nous prenait à la gorge. Suzanne a mis son pull sur son nez, et moi j'essayais de ne pas trop respirer. Nous avons marché à quatre pattes, côte à côte, mais je la sentais faiblir. Et comme madame Cousture l'a écrit, je l'ai placée devant moi et l'ai exhortée à se faufiler. Ses coudes n'ont pu la soutenir. J'ai à peine pu l'éviter, mais les gens derrière moi l'ont piétinée. Elle est morte en criant et en m'appelant. «Côme, Côme, qu'elle disait, où es-tu, Côme? Je ne vois rien.» Il y avait tellement de fumée qu'on s'est perdus. Elle criait et moi je répondais: «Ici!», mais je n'étais plus là parce que j'avais été poussé sur le trottoir. J'ai tenté de retourner la chercher, mais on m'en a empêché. L'enfer. Voilà ce que vous avez écrit, madame Cousture. Suzanne avait laissé échapper ma main... Je l'ai appelée, appelée, je lui ai demandé de me suivre... Je ne l'ai plus jamais revue. Je m'étais effectivement retrouvé dehors après avoir nagé sur les corps. J'étais dans la rue Union, à côté d'un pompier qu'on évacuait. On m'a tiré, quelqu'un m'a mis un masque à oxygène sur la bouche et j'ai respiré, étonné de voir que je pouvais le faire, malgré mon corps qui se consumait à l'intérieur. Puis on m'a repris le masque pour aider une autre personne. J'ai traversé la rue en suivant la foule et je me suis laissé tomber sur le trottoir d'en face, cherchant à comprendre ce que j'avais fait qui avait sauvé ma vie et pas celle de Suzanne. Je ne trouvais aucune explication autre que le hasard. Mon premier réflexe aura été d'attendre qu'on extirpe les morts pour les confier à la morgue, puis j'ai commencé à trembler de tout mon corps, de véritables convulsions. Je ne pouvais empêcher mes larmes de couler. J'ai trouvé une cabine téléphonique pour informer la gardienne que je ne pourrais rentrer avant le lendemain midi, puisque «je… feu… *Bluebird*, que… oui, demain».

Élise avait vu les nouvelles à la télé. Mon odeur a fait rentrer le diable dans la maison. Elle était là et a compris de quel enfer je sortais. C'est elle qui m'a dit qu'il y avait eu trente-sept morts, cinquante et un blessés et au moins quinze pompiers blessés également. Je me disais que, si j'avais pu sauver Suzanne, je serais allé vivre avec elle. Elle n'était plus là depuis moins de douze heures que j'étais en manque d'elle. Élise, c'était clair, ne savait que dire et n'osait pas poser de questions. Elle venait d'apprendre le nom de son démon, de son trou du cul. Elle a fait sa valise et j'ai poussé l'odieux jusqu'à lui dire que j'avais couché avec Micheline.

Je lui en voulais de m'abandonner à mon incommensurable douleur. Jab, jab, uppercut, c'est ainsi que s'est terminé notre mariage.

Le lendemain, je suis retourné chez moi, à Montréal. J'ai étreint mon bébé et pleuré avec lui. J'étais tellement assommé par la vie qui nous attendait que j'ai décidé là, à cet instant, de lui offrir une famille. J'ai ramassé tous ses effets et je suis allé sonner à la porte de ce qui restait de l'orphelinat d'Youville, dans la Côte-de-Liesse. Les religieuses ne voulaient pas le prendre, le lieu allant fermer ses portes. Marcel endormi dans les bras, je suis ressorti, ne sachant que faire. Je n'avais personne à qui demander conseil, personne à qui parler. Alors, oui, je l'ai fait, j'ai installé Marcel endormi sur le perron et je me suis sauvé. Sans me retourner.

> *Ah, mon Côme. Mais pourquoi ne l'as-tu pas amené à la maison ? Je t'aurais pardonné, c'est certain. Peut-être pas au premier jour, mais c'est certain. Me détestes-tu à ce point ?*

Mais non, papa, espèce de con, je t'ai toujours tellement aimé. Trop, même. Mais toi tu n'auras aimé que maman.

Tout le monde sait la suite. Ce jour-là fut mortel pour trente-sept personnes, dont ma Suzanne,

trente-huit avec moi, oui, papa, moi, moi, moi.
Je n'ai plus jamais su comment vivre. On pourra
graver deux dates de décès sur ma stèle.

J'ai soupçonné, sans jamais le savoir, qu'Élise
s'était maquée avec le beau Wilson, et puis son
souvenir ainsi que celui de Viviane et Violaine ont
pris le chemin du regret, emprunté avant elles par
maman et mon petit Marcel.

Côme Vandersmissen, dit le Trou du cul
numéro 2 de madame Cousture

3 avril 1988

Chère Arlette,

D'abord, joyeux quarantième. Excuse-moi de te déranger, mais c'est ta mémère Couture qui t'écrit. J'imagine que si tu te souviens de moi ça doit être vague. Je pense que t'avais huit ans la dernière fois, et si je me rappelle bien, on s'est vues trois fois en tout et pour tout. C'est fou, je suis ta mémère et je suis gênée de t'écrire parce que, écrire pour toi, c'est comme faire à manger pour moi. Ça te vient tout seul, j'imagine. Es-tu obligée de fouiller dans tes livres pour savoir ce que t'as envie d'écrire comme moi je fouille dans mes livres de recettes quand j'ai pas d'idées? En tout cas, tu dois fouiller pour savoir l'orthographe d'un mot quand tu sais pas ou que t'es pas sûre de comment l'écrire.

Parlant de recettes, ça me revient, est-ce que ton père t'a raconté la fois où ma Simone, ta tante sœur, qui avait pas encore douze ans, avait décidé de lui faire un gâteau au café pour ses neuf ans?

Tant pis, je me dis que tu la sais pas puis je prends une chance. Ma Simone, ta tante, a fait le premier gâteau de sa vie pour les neuf ans de mon Émile. Elle a suivi religieusement sa recette – je dis ça pour te faire sourire parce que ma Simone, comme tu sais, a eu la vocation. Au souper, elle a fait tout un plat de ses problèmes, à commencer par mettre du bois dans le poêle sans se brûler. Moi j'étais à côté d'elle et je faisais mine de rien.

Toute la famille était à table, sauf ton grand-père qui était au chantier. Eh oui, comme ton autre grand-père, mon Elzéar travaillait dans les chantiers, mais lui il préparait le bois de corde. C'est pas lui qui faisait le gros ouvrage. Mais je pense que scier puis couper à la hache, ça devait être pas mal fatigant quand même. À mon dire, il fallait qu'il sache stérer. Excuse-moi de le vanter, mais mon Elzéar a toujours mérité nos éloges. C'était un homme sévère et bon, humble et pieux.

Tu aurais dû voir ma Simone s'approcher de la table avec son beau gâteau. Mon Émile a soufflé ses neuf chandelles d'un coup, tout le monde a applaudi et ma Simone a servi un beau morceau à tout le monde, coupé selon les appétits, et tout le monde a craché sa première bouchée. Ma Simone, pour être certaine que son gâteau était bon, avait rajouté une cuiller à thé de café aux deux indiquées dans sa recette. Ma pauvre petite savait pas que la recette parlait de café infusé et pas de café en grains. On a tous beaucoup ri, sauf mon Émile, qui a finalement pas eu de gâteau, et ma Simone, qui a passé l'heure de la vaisselle dans sa chambre, et non, ce n'était pas pour s'en sauver parce que ma Simone, même jeune, avait le sens du devoir. Un autre enfant aurait pu faire croire à son chagrin pour pas laver ou essuyer, mais ma Simone, c'était la pure franchise et je suis certaine que monsieur le curé devait trouver ses confessions bien ennuyantes. Ma Simone s'est couchée aussi vite que sa peine le lui permettait et on l'a entendue pleurer sur son lit. Tes tantes, ma Léontine et ma Valentine, l'ont entendue pendant presque toute la nuit. Là, ici, je pense que ce bout d'histoire serait pas trop vrai, parce que ça voudrait dire qu'elles auraient toutes les trois passé la nuit blanche, ce qui ferait pas de sens.

C'est facile de parler de recettes, mais c'est pas ça que je voulais te dire. Il faut dire que ta tante, ma Simone, a toujours visé la perfection, à l'église, à l'école, à la maison et en communauté. De la première année à la journée de sa graduation, Simone a pas manqué un seul jour de classe. Ça, mon enfant, c'est quasiment pas croyable. En plus, Simone a eu une moyenne de plus de quatre-vingt-quinze pour cent, si pas plus, pour toutes ses années d'études. Je pense que le bon Dieu lui avait donné le talent qu'elle allait utiliser une fois en communauté. Je pense qu'Il choisissait les plus belles âmes pour lui tenir compagnie pendant l'éternité. Laisse-moi te dire, sans orgueil, que cette âme-là l'a certainement fait rire.

Le 5 septembre 1960, à Saint-Boniface, Manitoba, j'ai rendu l'âme et mon tablier pour aller rejoindre mon Elzéar, qui était mort le 21 mai 1925. J'ai été sa veuve pendant trente-cinq ans à finir tout ce qu'on avait commencé, toute seule et sans travail.

Vingt ans plus tard, le 5 septembre 1980, me demande pas pourquoi, je me suis retrouvée dans un de tes rêves. J'aurais voulu fêter mon vingtième anniversaire de décès que j'aurais pas fait mieux. Je t'ai pas reconnue, mais toi, oui. Pas tout de suite, parce que tu m'as prise pour ma Valentine, mais presque tout de suite. On a échangé deux ou trois phrases, si j'ai bonne mémoire. Tu étais dans ton bureau et j'ai lu, pardonne-moi mon indiscrétion, mais j'ai lu en gros titre sur une pile de papiers *Les Filles de Caleb* (Arlette CouSture?) et Émilie Bordeleau, quelque part sur une autre feuille. Je suis sortie de ton rêve aussitôt, c'était vraiment pas ma place. Je me suis sentie très effrontée. Si j'ai bon souvenir, Émilie Bordeleau était la belle-mère de mon Clovis-Émile que j'ai jamais rencontrée. C'est ça, un mariage entre une famille de la campagne du Québec puis une autre de la campagne du Manitoba. Oui, je suis vite sortie de ton rêve. Je peux bien te le dire parce que je sais que tu pourras jamais me trouver pour me répondre, mais j'ai eu une grande peine. Tu m'avais vue seulement trois fois dans ta vie, mais elle, Émilie Bordeleau, ton autre grand-mère, elle était déjà morte quand tu es née. Ça veut dire, ça, que tu as été obligée de tout inventer. Moi, au moins, tu savais que j'étais haute comme trois pommes – je faisais pas cinq pieds – tandis qu'elle, elle faisait cinq pieds et six. C'était pas un peu rare d'être aussi grande que ça? Je dis ça parce que, à côté d'elle, j'aurais eu l'air d'une naine ou d'une toujours pas finie.

Oh, excuse mon coq-à-l'âne, mais pour quelle raison as-tu appelé ton père Clovis dans le livre? Je sais qu'à partir des années 1970 il a laissé tomber le Clovis. Bon, pas grave, je voulais juste comprendre. On dirait que son prénom a jamais fait l'affaire de personne. Bébé, il s'appelait Clovis. Tout le monde me disait que c'était peut-être pas un beau nom pour un petit garçon, encore moins un bébé, mais un nom bien correct pour un homme tout grandi. On a changé. Il est devenu Émile, mais quand il a rencontré son ami Jean-Baptiste Lanctôt, il a probablement trouvé que le nom composé faisait sérieux, il a commencé, de lui-même, à se présenter sous le nom de Clovis-Émile. On l'a appelé comme il voulait. Comme je te le disais au début du paragraphe, il a laissé tomber le Clovis pour revenir à Émile, puis toi, dans ton livre, tu as laissé tomber Émile pour l'appeler Clovis. La roue a fait le tour. Clovis, Émile, Clovis-Émile, Émile, Clovis ! Y avais-tu pensé ? Je serais prête à gager que non.

Je suis venue te déranger, mon bel enfant, pour te demander, fâche-toi pas, pourquoi t'as aimé mieux raconter l'histoire de ton autre grand-mère. Je sais que t'as fait une belle histoire, qu'elle soit vraie ou pas vraie, c'est pas de mon jugement, mais savais-tu la mienne avant de choisir la sienne ?

Si je te disais que Gabrielle Roy avait demandé à Clovis-Émile si elle pouvait raconter l'histoire de ma famille ? Les chalands d'eau d'ici et les charrettes à bœufs, c'était pas juste pour les Américains en partance pour l'Ouest. Mon père, ton arrière-grand-père, Romuald Lauzé, est né dans ton Québec de 1845. Il a épousé Héloïse Boisvert en septembre 1870. Je me demande si c'était parce que mon père était pas très joli pour les femmes de son âge qu'il a épousé une femme de sept ans plus vieille que lui. Je dirais, en toute modestie, mais je sais que ma mère a été aussi bonne que la bonne sainte Anne parce qu'elle a eu son premier enfant à quarante deux ans et son dernier à quarante-neuf ans. Je sais pas comment tu trouves ça, toi, mais moi j'avais la moitié de son âge, vingt et un ans, quand j'ai eu ma Léontine, et quarante et un ans quand ma petite Juliette, ma petite dernière, est apparue. Si tu m'avais dit que j'aurais eu mon premier enfant à quarante et un ans, je t'aurais dit: va donc! Avoir un premier enfant à quarante-deux, c'est risquer de voir sortir tout le pataclan.

Mon père, que j'aimais beaucoup, était un homme de la génération qui a fait la mienne. Il était pieux et travaillant, mais le Québec était difficile pour son monde. On avait commencé à installer des machines dans les manufactures et on voyait d'autres machines dans les champs, ce qui fait que les travailleurs en pâtissaient. Mon père a pas voulu aller en Nouvelle-Angleterre travailler dans le textile. Il a pas voulu. Durant ces années-là, les Américains appelaient les Québécois les «Chinois de l'Est», parce qu'ils crevaient tellement de faim qu'ils avaient pas d'autre choix que d'accepter de travailler des longues heures pour des *peanuts*.

C'est pour ça que mes parents ont décidé de s'installer au Canada anglais, à Lafontaine, en Ontario, près de Penetanguishene. Ils se sont rendus là-bas en charrette à bœufs, crois-le ou non. Dans ce temps-là, le bœuf était une richesse pour un fermier. Mon père avait dû les acheter de quelqu'un pour se rendre à destination, et s'en servir sur sa terre une fois rendu. Heureusement que ma pauvre mère était pas enceinte parce que l'enfant aurait eu du mal à s'accrocher à force de se faire secouer, parce qu'il paraît qu'ils se sont fait brasser en masse. Les lendemains de pluie, ils calaient, et dès que la terre était séchée ils se faisaient secouer de partout.

Comme je t'ai dit, ma mère a eu son premier bébé à quarante-deux ans. C'est ma sœur Marie-Hélène qui est apparue. J'ai toujours dit que c'est mieux de commencer sa famille par une fille. On est des filles et on connaît mieux la petite fille que le petit garçon. En plus, c'est pas long qu'une fille peut nous seconder. Ça a été le cas de ma sœur et ça a été le cas pour ma Léontine. Et puis une fille, ça fait un meilleur bâton de vieillesse pour ses parents. Quand on a élevé des enfants, on sait s'occuper de nos vieux et on est préparée même s'ils retombent en enfance.

J'ai eu deux sœurs et deux frères. J'étais dans le milieu. Peux-tu croire ça que ma mère a eu une famille de cinq enfants en commençant tard comme elle avait fait ? Marie-Hélène, Georges, moi, Aurélie et Joseph. Marie-Hélène a été maîtresse d'école, tu vois que ma famille était pas en reste, quand même. J'étais fière d'elle, mais cette fierté-là est permise parce que c'était pas de l'orgueil. Je te dis ça parce que je pense sincèrement qu'on a fait des choses pas pareilles même si ça pouvait se ressembler. Madame Bordeleau a eu neuf enfants, ma sœur Marie-Hélène, treize, mais elle a perdu son Edmond de mari en 1939, et jusqu'à sa mort, en 1966, elle a porté le deuil. Dans ma génération, on parlait pas de notre chagrin, on l'habillait en noir. Ma sœur était une bonne chrétienne distinguée, qui toute jeune portait ses cheveux blancs ondulés. Elle avait l'air d'une lady comme je les imaginais en lisant *Wuthering Heights*, le seul roman qu'Emily Brontë a écrit, ou *Gone With the Wind*, de Margaret Mitchell. Les as-tu lus en anglais ou en français, toi ? J'ai lu Emily Brontë avant d'avoir vingt-cinq ans. Tu peux pas imaginer le nombre de livres que j'ai lus. En anglais surtout – il y en avait plus en Ontario, mais ça m'a pas privée parce que j'avais cinq ans quand je suis partie. Au Manitoba, j'ai appris à lire en français en même temps. J'ai lu *Bonheur d'occasion* en français, tu peux être sûre. *The Tin Flute* est paru bien après.

Ça m'a fait tout drôle de lire ça parce que j'avais toujours connu Gabrielle, jusqu'à ce qu'elle décide d'aller vivre dans l'Est, à Montréal. Pardonne-moi cette deuxième montée d'orgueil, mais j'aurais marché la tête encore plus haute si j'avais été vivante quand toi tu as écrit ton livre. C'est tellement un grand talent de savoir coller les mots et leur faire dire quelque chose, comme les recettes. Des noms, des verbes, une pincée d'adjectifs, quelques adverbes pour poivrer et les phrases sont au four.

J'avais cinq ans, comme je t'ai dit, ma sœur Aurélie, trois ans, et mon frère Joseph deux ans quand mes parents ont attelé les bœufs pour aller à Saint-Jean-Baptiste, près de Winnipeg, au Manitoba. Ça, mon enfant, c'était pas à la porte d'à côté. Je m'en souviens encore, mais pas de tout. J'entendais ma mère marmonner des prières quand le trajet était si difficile que même les bœufs s'arrêtaient pour reprendre leur souffle. Ma mère fermait les yeux et priait quand mon père perdait patience. Ça lui est arrivé quand une roue s'est brisée. Heureusement qu'il était un homme prévoyant et en avait apporté au moins deux de secours. Mille trois cents milles en charrette à bœufs, ça peut tuer un homme, une femme puis toute une famille. Il y a des accidents, des charrettes qui chavirent, des fois, dans des ravines. Une autre fois, il y a un bœuf, pas le nôtre, qui est mort, boum à terre, sans avoir annoncé quoi que ce soit à son repas ou dans son fumier. L'autre qui restait pouvait pas tout traîner tout seul. Dans ce temps-là, on faisait marcher tout le monde, les grands comme les petits, avec du bagage en plus, mais, merci à saint Christophe et merci au Seigneur, ça nous est pas arrivé.

Il y a eu le soleil trop chaud et nos chapeaux de paille nous ramollissaient sur la tête. Marie-Hélène, Joseph sur les genoux, passait son temps à l'empêcher d'enlever son bonnet de coton, provoquant des litanies de pleurs de reproches. Georges tentait tant bien que mal de m'occuper avec Aurélie en nous demandant de voir des histoires dans les nuages. Si par malheur ceux-ci devenaient noirs, mon père arrêtait les bœufs et s'empressait d'installer des bâches cirées pour nous protéger de la pluie. Si l'orage nous tombait quand même dessus, nos pauvres parents avaient droit à une chorale de jérémiades. Depuis ce temps-là, j'ai toujours eu peur des orages au point d'en faire hériter la plupart de mes enfants.

Si les orages nous terrorisaient, mon père, lui, avait méfiance de la crue des rivières et des lacs. On longeait les Grands Lacs, mais mon père en avait une peur qu'il essayait de nous cacher en sifflant tout le temps, d'après ma sœur Marie-Hélène. «Calmez-vous, les enfants, papa siffle», qu'elle nous disait. Ces lacs étaient des mers qui pouvaient gonfler les vagues à tout arracher les rivages sous des vents à écorner nos bœufs.

On était partis en juin, et on a fait un feu de la Saint-Jean pour notre famille et deux autres qui tentaient leur chance aussi. Je sais qu'on a chanté, mais je sais plus en quelle langue. C'est fou, ça, non ? En tout cas, *Alouette* et *À la claire fontaine*, c'était en français. Le reste est à plus de trois quarts de siècle dans mes souvenirs et il faudrait un vrai miracle pour que je m'y retrouve.

Le mois de juillet avait été très chaud, mais là encore je dois me fier aux histoires de mes parents parce que je me souviens simplement des chapeaux de paille tout mous. Il est évident que j'ai pas de souvenirs précis, sauf un : ou on avait grandi, ou la charrette avait rapetissé.

À force de respirer l'air des autres de trop près, on a commencé à se disputer pour tout et pour rien. Je devrais dire pour rien, parce qu'on n'avait rien. Deux paires de culottes, deux paires de bas, une paire de chaussures, un gilet de laine et un manteau, point final. Mon frère Joseph devait être propre parce que ma mère avait dit qu'elle pourrait pas laver de couches. Parle, parle pas, mon frère a entendu et compris que ce serait sévère. Heureusement. Il y avait bien assez de la bouse des bœufs qui, des fois, pouvait nous salir en tombant par terre, en tout cas salir ceux qui, ce jour-là, avaient eu la permission de s'asseoir devant.

194

Jusqu'à la fin de mes jours, j'ai regretté la fois où on a campé en compagnie d'un photographe, un vrai. Il avait un appareil de bois dont la lentille était couverte d'un bouche-trou noir. Il l'ouvrait devant les gens qui posaient, pendant une éternité, sans sourire, et le refermait. Le photographe écrivait ensuite le nom des gens. J'avais demandé à mon père de nous placer devant la boîte de bois, mais papa avait répondu qu'on se ferait photographier au Manitoba, fin août, début septembre. J'avais insisté en disant que c'était beau, notre charrette et nos bœufs, mais mon père a répondu: «J'ai dit non, Eugénie.» Maman m'a pris le bras en le serrant un peu et m'a glissé à l'oreille qu'on le ferait quand on aurait assez d'argent pour payer le photographe. Elle a ajouté que, pour le moment, elle voulait plus en entendre parler. Personne en a plus parlé et je trouve ça de valeur de ne pas avoir eu une photo de famille en route vers sa nouvelle vie.

C'est la raison pour laquelle, mon enfant, tous les souvenirs de cette saison, à part les orages, le feu de la Saint-Jean, la pluie et la faim, parce qu'il est arrivé que nos provisions suffisaient à peine, se sont effacés. Je me souviens aussi que nous avons eu des poux et que maman était découragée, particulièrement dans ma tête à moi, qui était frisée comme un mouton.

Il y a eu un jour où les routes étaient si mauvaises que mon père a préféré s'arrêter dans un village, toujours en Ontario, je pense, mais près du Manitoba. Nous, les cinq enfants et nos parents, on était sales et fatigués de la vie, je le dis sans gêne, on était fatigués de cette vie-là.

Papa est allé rencontrer des gens au village et a trouvé, pour maman et nous, un chaland qui nous conduirait plus loin ! Quel bonheur ! On était installés tant bien que mal et un Métis géant, monsieur Laramée, qui connaissait par cœur les côtes et les arbres, les poissons et les oiseaux, conduisait comme un capitaine de gros bateau. C'était notre saint Christophe, qui, lui, traversait des enfants dans des torrents et des ravins. Nous, les enfants, on a pêché avec lui, et ma mère préparait le poisson. Ces semaines-là, deux en tout, si mon souvenir est bon, on a mangé poisson, poisson et poisson, et des drôles de légumes que saint Christophe allait cueillir dans le bois. C'était bon et plus drôle que les légumes en pots, ramollis par la chaleur, que ma mère avait apportés de Penetanguishene.

Je pense, mon bel enfant, qu'à part une sainte colère de notre père qui nous a fait très peur et le jour où maman a pleuré du matin au soir sans qu'on sache pourquoi, il y a rien d'autre que je me rappelle. Quant aux larmes de ma mère, je me dis maintenant qu'elle a certainement pleuré de découragement et de fatigue. Peut-être aussi que sa maternité avait commencé à sécher.

Quand on est finalement arrivés à Saint-Jean-Baptiste, au Manitoba, les classes étaient commencées et mon père avait pas encore de terre. Marie-Hélène et Georges sont allés à l'école aussitôt que ça a été possible, et mon père, Dieu merci comme disait ma mère, s'est retrouvé un emploi de forgeron comme à Penetanguishene. Il faut dire que c'était un bon forgeron, dans tous les cas, le meilleur du canton.

On habitait dans une maison qui, pour nous autres les enfants, était immense comparée à la charrette. Mon père était vraiment un aventurier. Il avait quitté le Québec pour aller en Ontario, ensuite l'Ontario pour adopter le Manitoba. Mon grand-père, le père de ma mère, a dû penser que c'était une assez grande maison parce qu'il est venu vivre avec nous autres. Ma mère a effectivement été son bâton de vieillesse.

La vie était pas mal pareille à la vie de Penetanguishene, mais cette vie-là est vite disparue de nos souvenirs, sauf que Marie-Hélène et Georges, eux autres, s'en souvenaient. Moi, pas trop, puis les deux plus jeunes, pas du tout. J'ai assez vite oublié le temps qu'on avait pris pour arriver à Saint-Jean-Baptiste. C'était comme un souvenir de brassage, de soleil trop chaud ou de pluie qui nous détrempait à tout bout de champ. C'était ma première dent qui avait commencé à branler. Ma mère trouvait que j'étais pas déjà rendue là, voyons donc. Ma dent est tombée au Manitoba et pas en Ontario. C'est drôle, ce que je vas te dire, mais j'ai beaucoup pleuré en la perdant parce que maman m'a dit qu'elle était morte. Mes prières de petite fille avaient été exaucées et je me suis quand même vite consolée en voyant qu'elle avait ressuscité plus grosse. C'est comme ça que je l'avais perçu. J'ai d'ailleurs dit à tous mes enfants de ne pas s'inquiéter, que les dents perdues ressuscitaient.

Le souvenir que j'ai de mon enfance, c'est que mon père travaillait fort et tout le temps, que nous autres, les enfants, on grandissait tellement que maman avait pas le temps de repriser ou de nous coudre du nouveau linge. Marie-Hélène puis moi, on a vite eu la permission de coudre sur le moulin. Mais comme moi j'étais haute comme trois pommes, j'ai quand même dû attendre d'être un peu plus vieille pour toucher les pédales et en profiter.

C'est quand j'avais huit ans qu'il s'est passé quelque chose d'incroyable qui est devenu, ma foi, un vrai miracle. On a eu la visite de deux hommes. Je dis ça, mais le plus vieux avait à peine vingt-deux ans, et son jeune frère, dix-neuf ans.

Ma sœur m'avait donné un coup de coude sans raison, mais j'ai compris que je devais regarder le plus jeune. J'ai dit « Quoi ? » et elle m'a dit qu'il était beau. Moi, à huit ans, je savais pas encore qu'un monsieur pouvait être beau. Maintenant, quand je regarde les photos qu'on avait finalement fini par avoir, c'est clair qu'il était beau. Je t'ai dit que j'avais des cheveux frisés comme un mouton et que j'étais haute comme trois pommes, mais lui il m'a prise sur ses genoux, m'a demandé si je savais chanter, j'ai répondu par un oui presque pas assez fort pour qu'il l'entende. « Oui, que tu dis ? Quelle chanson voudrais-tu qu'on chante ensemble ? » qu'il m'a demandé. J'ai pincé les lèvres et j'ai dit *Ne pleure pas Jeannette*. Pendant que je chantais, Marie-Hélène faisait les « alazim boum boum » avec moi et le monsieur, lui, chantait toujours, en me regardant d'un air haïssable, « nous te, nous te, nous te marierons ». Jusque-là, ça ressemble à tout ce qui pouvait se passer dans la maison, mais en partant il a dit à mes parents : « La petite frisée, vous me la gardez, s'il vous plaît. » Maman a dit : « On prend de l'avance. » Papa, lui, a éclaté de rire et a dit : « Voyons donc, arrête-moi ça, mon jeune, elle va penser qu'elle est belle, c'est un gros péché d'orgueil, ça. » Marie-Hélène a dit : « Hon. » Le monsieur s'est retourné, m'a fait un clin d'œil et a dit :

« Elle est pas belle, elle est joliment belle ! » J'avais huit ans et, pour parler franchement, j'avais rougi de plaisir et pensé que c'est le péché d'orgueil qui m'avait fait ça. C'était, crois-moi, mon premier péché d'orgueil. Tu peux être certaine, mon bel enfant, que je me suis confessée le dimanche suivant.

Mon père était un forgeron tellement bon qu'on venait de partout pour lui commander des bandages de roues. Sûr et certain que le médecin en avait fait faire et papa lui en avait installé avec des roses soudées dessus. Je m'en souviens encore. Je pouvais passer des heures à le regarder travailler, mais mon père était toujours inquiet de voir un petit morceau de métal rouge nous tomber sur les cheveux, les bras ou les vêtements. C'est jamais arrivé. On aurait dit que saint Éloi, le patron des forgerons, nous protégeait. On l'aimait, saint Éloi, parce qu'il surveillait notre père, mais nous les enfants, on l'aimait encore plus parce que c'était lui qui avait demandé au roi Dagobert de mettre sa culotte à l'endroit. On adorait cette chanson-là. « Le bon saint Éloi lui dit oh, mon roi, Votre Majesté est mal culottée… C'est vrai, lui dit le roi, je vais la remettre à l'endroit. » La connais-tu, la chanson ?

On dirait que ça s'est passé en même temps, mais j'ai commencé à trouver le monsieur beau et remarqué qu'il sentait bon au moment où j'ai dû apprendre à mettre des guenilles, tous les mois. Pour faire court, j'ai eu dix-sept, et mon monsieur est devenu Elzéar. Chaque fois qu'il partait, il disait : « Pensez à moi dans vos prières quand vous prierez pour son avenir ! » Et à moi, il disait : « Sois sage, ma petite frisée. »

Mes parents regardaient Elzéar d'un autre œil. Il avait travaillé dans une briquerie pendant deux ans, puis ensuite il s'était engagé chez les Cartier, des cultivateurs. Tu sais, dans mon temps, un cultivateur c'était bien vu comme parti parce qu'on était certaine de jamais crever de faim. J'ai eu dix-huit puis dix-neuf ans. Il a demandé à mes parents la permission de me fiancer. Je t'en parle vite parce que je sais que ça se passe à peu près toujours de la même manière à la messe de minuit pour tous les promis. On a commencé à se chercher du regard, puis à s'accrocher les mains par accident, puis à danser en se les lâchant jamais. Il m'a fait des petits cadeaux à Noël, puis à ma fête. Du jour au lendemain, on est devenus Elzéar puis Eugénie ou Eugénie puis son Elzéar.

On s'est mariés le 19 novembre 1895. Il avait trente et un ans et moi vingt. Maman trouvait la différence d'âge trop grande, je le sais, mais elle a jamais dit un mot, d'autant que tout le monde savait qu'elle-même avait sept ans de plus que son mari. Mon père, lui, était content du cadeau de noces qu'Elzéar m'avait offert : la ferme des Cartier qu'il nous avait achetée !

La vie était la plus belle du monde au goût de la petite frisée. J'ai eu ma Léontine, Eugène, mon Émilie et ma Simone. Simone avait pas deux ans quand Émilie a pris un méchant coup de froid en se faisant promener en traîneau. Je pense que ton Émilie de grand-mère puis moi, on a vécu les mêmes peines sorties directement de l'enfer. Des peines à nous faire trembler de douleur et à nous faire damner. Mon Émilie est morte étouffée du poumon. Léontine et Eugène avaient sept et cinq ans quand ils l'avaient emmenée dehors, à ma demande, pour qu'elle prenne l'air.

Je me suis blâmée tous les jours de pas avoir bien pris soin du petit ange que le bon Dieu m'avait confié. Un jour, Elzéar m'a demandé de cesser d'en parler si on voulait être capables de sortir de l'enfer. Ça devait être ce soir-là que, pour se consoler, on a fait Clovis, qui s'est vite annoncé.

En 1912, le bon Dieu a décidé de nous éprouver encore une fois. Le curé a dit que c'était parce qu'Il nous aimait. Je te demanderais de jamais répéter ce que j'ai pensé, mais si aimer c'est punir, des fois j'aime autant qu'on m'haïsse.

Mon Clovis a fait une pneumonie si grave que le docteur nous a dit qu'on se verrait peut-être pas le lendemain. Moi j'ai compris que mon garçon irait mieux. Elzéar, lui, a compris que Clovis pouvait mourir pendant la nuit. On s'est assis chacun de notre côté du lit après avoir fait sortir Eugène de la chambre. La mort, c'était pas encore quelque chose à montrer à un gars de quatorze ans. On a quand même été obligés de le réveiller pour qu'il aille chercher le curé. Notre Eugène a été d'un secours venu du ciel. Le curé est arrivé avec son retable, et Eugène, surplis ou pas, a décidé d'être son servant. Moi, je priais les yeux fermés. J'avais trop peur de voir mourir un second enfant qui avait quand même juste huit ans, tandis que mon brave Elzéar continuait de lui mettre des linges mouillés sur le front. C'est moi qui aurais dû faire ça, mais j'avais comme un manque de courage. J'avais trente-sept ans, déjà eu une cérémonie des anges, et je voulais absolument pas en avoir une deuxième même si Clovis aurait eu des funérailles de baptisé. Les yeux fermés, je devinais qu'Eugène avait assisté le curé comme un grand. J'étais morte de peur à l'idée qu'il allait peut-être voir son jeune frère expirer.

Ma Léontine a pris soin de la maisonnée pendant toute la journée du lendemain tandis que, moi, je me suis sauvée dans les champs pour pleurer et prier. Je savais pas vraiment ce qu'il fallait que je fasse pour me soulager. La fièvre est partie au même moment que le soleil se couchait. Clovis a ouvert les yeux et a dit: «J'ai faim, maman.» Je lui ai fait boire un bon bouillon à la reine. Le docteur est venu le voir, l'a ausculté et nous a dit qu'il revenait de si près des portes du ciel qu'il avait peut-être pu apercevoir Émilie en ange. Le dimanche qui a suivi, Léontine est restée avec Clovis pour voir à ses besoins tandis que toute la famille est allée à la grand-messe, faire un *Te Deum.* En chaire, le curé a demandé aux paroissiens de remercier Dieu pour la guérison miraculeuse de notre Clovis.

Ma Marcelle a commencé à faire de la température le lendemain. Heureusement pour moi, Léontine est restée à la maison. Clovis était encore au lit quand le docteur est revenu pour ma Marcelle. Elle était fiévreuse, avait mal partout, surtout à la gorge, et avait commencé à vomir. J'étais plus ou moins inquiète, on connaît tous le *flu,* mais elle avait si mauvaise mine qu'on aurait dit une petite vieille de cinq ans.

Le docteur s'est retourné.

«Ça fait combien temps qu'elle est comme ça?

— Juste deux jours, peut-être trois.

— Regardez.»

Il avait son espèce de petit maillet dans la main et, devant moi, a recommencé à lui donner des coups sur les chevilles et les genoux.

«Vous voyez.

— Je pensais pas qu'elle était aussi faible. Elle a même pas la force de bouger les jambes.

— Madame Couture, priez pour que je me trompe, mais il faut la conduire à l'hôpital.

— À l'hôpital ? Pour un *flu* ?

— Si seulement c'était une grippe. »

On a prié toute la nuit, se relayant auprès du Seigneur. Comme la vie venait de m'assommer deux fois *back* à *back*, on aurait dit que j'étais incapable de dormir. J'avais trop peur. Mon Elzéar puis moi, on avait eu beau se répéter que le tonnerre tombait jamais deux fois à la même place, on a été forcés de voir que c'était possible. Je me disais, ce soir-là en me couchant, que je veillerais au grain pendant toute la nuit. J'ai veillé et ai fait le tour des chambres pour être certaine que les enfants respiraient, ce que j'avais pas fait depuis qu'ils étaient bébés. Mon Clovis respirait tout doucement, les poumons guéris. Le bon Dieu allait attendre avant de me l'enlever. Je sais pas pourquoi, je lui ai fait un petit signe de croix sur le front, comme si j'avais voulu le protéger encore plus, de tout et même de Dieu qui me donnait de la méfiance.

Mon bel enfant, le bon docteur avait malheureusement vu juste. Ma Marcelle venait d'être trouvée, en pleine campagne manitobaine, par le virus de la polio. C'était difficile de voir Saint-Jean-Baptiste sur une carte, mais ce virus-là avait su où était ma famille et ma petite Marcelle.

Ma vie et celle de toute la famille a changé d'allure. Il y avait toujours quelqu'un à l'hôpital prêt à répondre à ses besoins. Elle était brave sans bon sens, mais elle pouvait être aussi marabout qu'un vieux qui a trop souffert. Dans son petit corps, elle avait déjà eu plus de douleur qu'une vieille personne.

Ah, mon bel enfant, tu le croiras pas, mais l'hôpital nous a remis une petite infirme. Ses jambes avaient cessé de vivre normalement. On a organisé la maison. Eugène, Elzéar, Léontine puis moi, on la montait à sa chambre dans nos bras. Marcelle avait une petite clochette qu'elle sonnait si elle se réveillait et voulait le pot. C'est ma Léontine qui se levait. Il arrivait des fois que la petite sonnait sa cloche juste pour pleurer dans les bras de quelqu'un.

On s'est fait une routine, mais personne s'est habitué à devenir les jambes de Marcelle. Elle adorait l'hiver parce qu'elle se faisait tirer en traîneau. Je t'avoue que j'ai mis un peu de temps à me dire que celle-là allait quand même pas mourir d'être sortie se promener sur la belle neige blanche. Mon Eugène lui a fait une jolie voiturette pour l'été qu'on pouvait tirer ou pousser et mon père a forgé de belles roues pas pareilles ! Au centre de la première, il avait fait une tête d'ange, de la deuxième un soleil, de la troisième une fleur, et de la quatrième un bilboquet. C'était le jouet préféré de Marcelle. Elle passait des heures à lancer et à attraper sa balle de bois, à jouer avec sa catin, son yo-yo ou aux jeux de cartes assez faciles pour elle.

Elle était une très bonne élève – c'est Simone qui l'aidait avec ses devoirs – et a décidé toute jeune qu'elle voulait être maîtresse d'école, enseigner elle-même aux petits, dans sa maison, comme Simone faisait avec elle. On lui avait demandé « Pourquoi les petits ? », elle avait répondu que c'était pour qu'elle reste la plus grande de la classe. Son corps, à partir des hanches, avait continué de grandir, mais ses jambes ont toujours eu cinq ans.

Mon Elzéar et moi, on s'est serré la ceinture et Eugène a commencé son cours classique en 1910. Si son père et sa mère ont fait un énorme péché d'orgueil quand il a gradué en 1918, ils en ont fait un encore plus grand quand il a été accepté en génie à l'Université McGill de Montréal. Je vais pas te donner tous les détails, mais nos quatre garçons ont eu leur baccalauréat ès arts. Je te dis ça sans humilité aucune. Clovis-Émile (c'est ce qu'on disait, maintenant, à sa demande) a reçu son diplôme en 1924, Roland puis Étienne ont eu les leurs en 1930 et en 1932.

Si je tiens à te préciser ça, c'est que mon Elzéar a eu un de ces cancers et est mort en 1925. Il a pas vu la graduation de ses deux plus jeunes, ni le diplôme de son ingénieur d'Eugène. On était installés à Saint-Boniface, où mon Elzéar avait acheté une briquerie une vingtaine d'années plus tôt, mais j'avais juste assez de terrain pour me faire un petit jardin.

J'avais cinquante ans, deux fils encore aux études, mes filles au couvent ou au travail, et tous nos rêves à terminer.

Un peu avant la mort de son père, notre Clovis-Émile nous avait encore fait des misères effrayantes. Notre pauvre enfant, qui commençait juste à avoir quelque chose qui ressemblait à une moustache en dessous du nez et des poils pas trop épais sur les joues qu'il avait commencé à raser, un soir de souper, a poussé un grand cri, s'est pris la tête à deux mains avant de perdre connaissance.

Racontée comme ça, paragraphe après paragraphe, ma vie a l'air d'un chapelet de misères, mais tous ces malheurs se sont quand même passés sur vingt ans. Il n'y a pas de mots pour te décrire le froid qui venait de rentrer dans la cuisine. Les plus jeunes sont restés assis, le bras en l'air à tenir la fourchette, apeurés. Léontine est allée prendre l'eau à la pompe, et Simone a placé un coussin sous le cou de son frère. Elzéar et moi on a essayé de le réveiller, mais Clovis-Émile se réveillait pas. Roland et Étienne sont allés chercher le médecin et, en moins de quinze minutes, tout le monde était dans la cuisine. Les assiettes refroidissaient sur la table, et dans celle de Clovis-Émile il y avait le verre qu'il avait échappé, brisé.

Si seulement il avait perdu connaissance, tout se serait fini en deux temps trois mouvements. Mais il a fallu que vienne une ambulance qu'Elzéar et moi on a suivie dans la machine du docteur.

Les nouvelles étaient effrayantes. Clovis-Émile avait fait une hémorragie cérébrale. Moi je pensais que c'étaient les gens en fin de parcours qui faisaient ça, pas les beaux jeunes hommes bourrés de rêves et d'espoir. Avec mon Elzéar, on en était presque venus à se demander si on avait pu faire quelque chose qui aurait déplu au Créateur. Pourtant, on avait respecté les commandements et de Dieu et de l'Église.

On n'avait pas de réponse et le curé comprenait pas non plus pourquoi on était si éprouvés. Encore une fois, mon Clovis-Émile avait reçu les derniers sacrements, mais là, il avait connaissance de rien et c'est nous qui avions dit le « ainsi soit-il », du bout des lèvres, je te prie de me croire.

Je peux pas te dire s'il a repris connaissance dix ou vingt jours après. Je peux pas te dire, mon bel enfant, mais c'est pas parce qu'il a ouvert les yeux qu'il était sorti de son malheur. Il m'a demandé si j'étais là.

« Mais oui, je suis avec toi, voyons.

— Maman, je vois rien ! »

Bon, ça avait pas de sens ce qui nous arrivait. Une infirme, un aveugle et une enfant au cimetière. J'ai pas perdu la foi, non, mais j'ai perdu courage, par exemple. Je suis venue tous les jours lui tenir compagnie et lui porter à manger. Je lui apportais sa part du souper de la veille. Laisse-moi te dire qu'il y a des douleurs de vie qui font tellement mal que ça nous étouffe. J'ai perdu le souffle pendant des semaines, puis un jour, Clovis-Émile m'a dit : « Maman, je vois ta silhouette. » Merci, mon Dieu, mon aveugle voit comme Lazare est ressuscité. Merci, mon Dieu.

On aurait dit que je vivais en automatique, comme ces nouvelles machines qui avancent toutes seules jusqu'à ce que tu pèses sur le frein. Que mon Clovis-Émile ait retrouvé une partie de sa vue m'a fait voir, moi aussi, tout ce que j'avais de beau.

Il est rentré à la maison, une paire de lunettes sur le museau. « Tu vas rester borgne, mon homme. Tu vas voir un peu à la condition de porter des verres jusqu'à la fin de tes jours. » Le docteur était aussi content que toute la famille.

C'est quand la vie a commencé à sentir le parfum de ses quatre saisons que mon Elzéar est tombé malade sans pardon. Je l'ai perdu un jour sans lendemain.

Je veux pas te raconter combien ma vie est devenue grise, comme mes cheveux, comme ma bonne humeur. On avait installé Marcelle à côté de la cuisine pour pas qu'elle monte les escaliers. Clovis avait peut-être retrouvé la vue, mais sa tête avait pas encore cessé de lui faire mal à mourir.

Il avait pas commencé à retravailler, mais Léontine lui avait trouvé une belle job au CNR et on lui avait promis qu'elle serait pour son frère. Mais la tête de Clovis-Émile était pas encore capable de le suivre. Roland et Étienne avaient installé une paillasse au grenier, et quand Clovis-Émile sentait que la bombe dans sa tête avait été allumée, il escaladait ses trente-cinq marches. Il refermait la porte et s'enroulait dans la paillasse pour crier sa douleur. Parfois tous les soirs, parfois pas. Mais j'ai jamais eu une semaine de repos, une semaine sans m'agenouiller sur mon prie-Dieu au pied de mon lit pour demander secours au ciel.

J'étais quasiment contente que mon Elzéar voie pas ça, puis voie pas non plus sa petite frisée vieillir et blanchir à vue d'œil. Mais j'aurais quand même aimé qu'il sache que tous nos enfants ont réussi, et bien à part ça. J'aurais aimé qu'il soit au couvent quand Léontine en 1928 et Simone en 1930 ont pris le voile. J'aurais aimé qu'il soit au mariage d'Eugène et qu'il voie naître notre éternité. J'aurais aimé ça qu'il soit là, simplement là, quand j'ai proposé à Clovis-Émile de partir de la maison, de travailler pour le CNR à Montréal et de voir si l'air du fleuve pouvait pas en venir à bout avec ces maux de tête qui le torturaient et toute la famille.

J'aurais aimé ça qu'Elzéar le voie partir, souriant sur le quai de la gare, sans peur. Léontine l'avait emmené à la clinique Mayo à Rochester, aux États, et les docteurs américains avaient pas plus compris.

J'aurais aimé ça que mon Elzéar le voie sur le quai avec son paletot neuf et son vieux chapeau melon, en route pour Montréal. Il portait une moustache et des lunettes. Mais surtout, j'aurais aimé ça qu'il entende notre Clovis-Émile me dire à l'oreille : « Merci, maman, je t'envoie un télégramme en arrivant pour te dire comment s'est passé le voyage. »

Bien arrivé Montréal – stop – beau comme disait Eugène – stop – j'aime déjà – trouvé chambre et amis

des propriétaires – stop – deux aspirines c'est tout.
Tendresse,
ton Clovis-Émile – stop

J'aurais aimé qu'Elzéar sache qu'on a vendu notre belle maison et qu'Eugène nous en a construit une toute petite, sur un seul niveau avec des planchers chauffants pour Marcelle, qu'il puisse voir la chambre au lit déguisé en fauteuil, dans laquelle elle avait sa classe et recevait ses élèves.

Finalement, mon bel enfant, j'aurais aimé ça qu'il m'accompagne quand je suis venue te voir dans ton rêve.

Ta mémère, Eugénie

P.-S. Si, quand tu es venue me voir, à huit ans, avec ton beau *jumper* de velours noir, ta belle blouse blanche aux manches bouffantes, ta longue queue de cheval avec la boucle de ruban turquoise, tes souliers en cuir patent et tes collants qui gondolaient sur tes jambes tellement tu étais maigre, si j'avais tout simplement dit : « Bonjour, ma belle enfant, viens voir ta mémère », au lieu de vouloir être drôle et dire que tu avais l'air d'une araignée, aurais-tu écrit sur moi ?

Récréation

Dans un bureau.

Une table de travail, un ordinateur, moi, et face à moi, Marie-Louise.

Elle ressemble à la vendeuse de légumes de mon enfance, teint rubicond hâlé par le soleil, violent contraste avec le mien, blafard ou plutôt hâve selon l'éclairage.

Marie-Louise

Chère Arlette, dis-moi, c'est bien vrai, tu existes?
Il y a des années que je suis ta piste.
Enfin je te déniche, cachée dans cet antre.
Où est l'endroit précis où tu te concentres?
Est-ce ici, est-ce là, que tu nous as pondus?
Je peux le reconnaître, ton travail est ardu.

Moi

Ardu n'est pas le mot, souffrant serait plus juste.
Vous, êtres de papier, êtes parfois injustes.

Quand on n'a pas de chair, comment peut-on
savoir?
Peut-on s'imaginer que j'ai dû concevoir?
Un mot et tu es née, toi et toute ta famille.
Ton passé apparu, ton avenir qui brille,
Je t'ai bien réussie, ma chère Marie-Louise.

Marie-Louise

Je ne conteste pas, non mais pourtant quelle
mouise
Êtes-vous tous pareils, tous aussi susceptibles?
Devant un petit mot, juste à peine visible,
Tu deviens chamboulée, tu veux tout chambarder.

Moi

Alors dis-le-moi donc, que veux-tu demander?
Tu veux être plus grande, tu veux mieux
t'exprimer?
Être fine musicienne? Tu veux pouvoir aimer?

Marie-Louise

Oui, ça et encore plus, je voudrais rien qu'un jour
Pouvoir m'abandonner dans les bras de l'amour,
Faire comprendre à Paul que je suis la seule
femme
Qui l'aime avec égard. Oui, je te le réclame,
Change donc un peu l'histoire, ôte enfin sa
soutane.

Donne-nous un jardin et un beau grand platane,
Fais-nous y promener, y rêver à l'avenir,
Donne-nous ces belles heures que nous pourrons bénir.
Si tu crées en un jour, si tu peux être Dieu,
Quel mal y aurait-il à reporter l'adieu?

MOI

Mais tu ne comprends pas, ce qui est fait est fait.
Tu ne pourras jamais mettre plat au buffet.
Le personnage est là, mais il est là pour Blanche,
Tu es une secondaire, tout juste une mini-branche.
Dans ce si long propos, tu n'es qu'un petit cri.

Marie-Louise

Mais non, tu as tout faux, lis ce qui est écrit.

MOI

Mais c'est moi qui l'ai dit. Je ne peux me tromper,
J'ai inventé ta vie. Cesse donc de déraper,
Comprends enfin, ma belle, tu es ma création.

Marie-Louise

Finalement, c'est bien vrai? Je suis une illusion?
Laisse-moi donc y penser, je voudrais tant comprendre,
Comment se pourrait-il que je sois aussi tendre?

Que j'aie plus d'une amie, que les gens me
bouleversent?
C'est ce que tu attends, tu m'as créée pour ça?
Quand mon fait prendra fin, va, décrochez-
la-moi!

Moi

Oui, non, c'est compliqué. Dès l'instant où tu vis,
Tu fais ce que tu veux.

Marie-Louise

Alors, dis-moi donc oui.

Moi

Même si je le voulais, je ne peux rien y faire.
Malgré moi, et c'est vrai, ton destin c'est l'enfer.

Marie-Louise

Comment ça, malgré toi? À moi la pire géhenne,
Alors, pardonne-moi donc, toi, la manichéenne!

Moi

J'ai plusieurs personnages, de très bons faire-valoir,
Tu es l'un de ceux-ci. Je continue de voir
Que cela t'est odieux, crois-moi je le comprends,
Mais de mon point de vue, tout est si différent.
Un jour dans mon récit, voilà que je t'ai vue,
Et dans ton beau visage, un air de déjà-vu.

J'avais besoin de toi, tu m'étais destinée.
Tu étais drôle et vraie, et prête à t'incarner.
Une grande et belle âme, et pour Blanche, une
sœur.
Elle était tellement seule, et toi pleine d'ardeur.

Marie-Louise

N'avais-tu donc rien d'autre que le mal à donner?
Qu'ai-je fait pour mériter ce bête pied de nez?
Dis-moi, m'as-tu aimée?

MOI

Oh oui, profondément.
Il faut imaginer que ton mal m'est dément.
Tu cries et moi je pleure, j'écris et toi tu meurs,
À cause de vos vies, je deviens fossoyeur.

Marie-Louise

Laisse-moi encore vivre.

MOI

Non, je t'ai fait mourir.

Marie-Louise

Mais je le sais, bon Dieu, et tu m'as fait souffrir!

MOI

Tu n'as pas eu le temps, tout a été rapide.

Marie-Louise

Pourquoi m'avoir donné une fin si morbide ?

Moi

Je ne l'ai pas voulu, c'est la faute au métier.

Marie-Louise

Fais dormir ton cerveau et cesse d'inventer.
Casse ici la matière, tais donc les diatribes.
Change enfin de métier, au poteau tous les scribes !

Remerciements

Je tiens à remercier les personnes suivantes de m'avoir prêté leurs yeux et généreusement offert de leur temps :

Lyse Couture

Johanne Dufour

Johanne Guay

Pascale Jeanpierre

Daniel Larouche

Lysane Marion

Diane Poirier-Saluzzi

Et Claire Matteau, fauchée depuis par sa fin de vie.

Leur réaction sert de précurseur à la vôtre et je leur en sais gré.

Et un merci tout particulier à Michel Corriveau pour l'énergie et le cœur qu'il met à la réalisation de plusieurs rêves.

Restez à l'affût des prochains titres
à paraître chez Libre Expression en suivant la
page Facebook de Groupe Librex :
facebook.com/groupelibrex

edlibreexpression.com

Cet ouvrage a été composé en ITC New Baskerville 12,25/15
et achevé d'imprimer en août 2016 sur les presses
de Marquis Imprimeur, Québec, Canada.

| garant des forêts intactes" | procédé sans chlore | 100 % post-consommation | archives permanentes | énergie biogaz |

Imprimé sur du Rolland Enviro 100% postconsommation,
fabriqué à partir de biogaz, traité sans chlore,
certifié FSC et garant des forêts intactes.